国家出版基金项目
NATIONAL PUBLICATION FOUNDATION

《三联经典文库》

第二辑

2012年国家出版基金项目

《三联经典文库》编辑委员会名单

三联经典文库

167

理性与自由

——文化思想批评论文集

胡绳 著

生活·讀書·新知 三联书店

图书在版编目(CIP)数据

理性与自由——文化思想批评论文集 / 胡绳著. --
北京：生活·读书·新知三联书店，2014.1
（三联经典文库第二辑）
ISBN 978-7-108-04459-4

Ⅰ. ①理… Ⅱ. ①胡… Ⅲ. ①议论散文－散文集－中国－现代 Ⅳ. ①I266

中国版本图书馆CIP数据核字(2013)第050875号

167 理性与自由——文化思想批评论文集

责任编辑 邵慧敏
封扉设计 蔡立国
责任印制 郝德华
出版发行 生活·讀書·新知 三联书店
(北京市东城区美术馆东街22号)
邮 编 100010
经 销 新华书店
印 刷 北京鹏润伟业印刷有限公司
版 次 2014年1月北京第1版 2014年1月北京第1次印刷
开 本 787毫米×1092毫米 1/32 印张 10.75
字 数 150千字
定 价 40.00元

《三联经典文库》出版缘起

适逢生活·读书·新知三联书店八十华诞，为弘扬传统，接续文脉，回报读者，服务社会，我们决定策划出版《三联经典文库》。

1932 年 7 月，生活书店在上海创办，此后，读书出版社和新知书店相继成立。本文库第一辑、第二辑所选图书，来自于这三家出版单位及其分支机构，以及 1948 年生活·读书·新知三联书店成立后的出版物，始于 1932 年，截至 1951 年，两辑各一百种。此为第二辑，涉及政治、经济、社会、军事、思想文化诸领域，涵盖专著、文集、散文、小说、诗歌、传记、报道等体裁，既有直面现实、追求真理、讴歌真善美、抨击假恶丑的原创作品，又有引介世界各国先进文化、传播新知、开启民智的迻译之作，真实记录了那一代知识分子的思考与探索、理想与愿景和对中华民族文化传承与创新所做出的努力与贡献。

本文库所辑入各书，多为名家名作，在版本方面，以初版一印本或经著译编者审定、修订、增订过的版本为首选，因此本文库又具有较为珍贵的版本价值和收藏价值。

本文库还将编选续辑，使之成为恢弘文化工程。诚挚希望读者给予批评和指正，帮助我们完善编选工作，再现三联经典作品之风采。殊为遗憾的是，由于年代久远，一些原著译编者及其后人未能取得联系并奉付稿酬，诚盼版权所有者与我们联系。祈愿三联前辈所创造的精神财富能薪火相传，为中华文化的伟大复兴增光添彩。

《三联经典文库》编辑委员会

2013 年 8 月

凡　例

一、本文库为重排本，由繁体字竖排版改为简体字横排版。

一、以忠实于原作、整旧如旧为编辑原则，对当时使用的专有名词、外文译名，以及民国时期的语言和特色予以保留。

一、原书注释如旧，编者所出的注释，均以“编者注”标明，以示与原书注释的区别。

一、对原书残缺或字迹漫漶之处，以□示代。

一、对繁简文本转换时的“如右”、“见左”一类，对应改为“如上（前）”、“见下（后）”。

一、对原书中各种错讹脱衍之处，直接订正，不再以其他符号标示。

一、对数字、标点符号的用法，在不损害原文语义的情况下，做必要的规范。

一、本文库各书均前插原书书影、原书版权页和文库版“本书出版说明”。

一、本书出版说明的撰写，以客观中立为原则，扼要介绍本书的内容、版本流转、著译编者的情况。

本书出版说明

本论文集收录了作者于1940至1944年间发表的批评论文十二篇。全书分成三个部分：第一部分是对反理性主义倾向的批判，第二部分是对复古倾向的批判，最后一部分是对冯友兰《新世训》和《新事论》两本著作的批评。本书出版于抗战结束之初，从中可略见抗战八年中中国文化思想之面貌。作者清算战时思想界反理性主义、复古主义的逆流，坚持科学的精神，坚持思想的自由发展，倡导发扬清醒的、科学的、现实的理性主义。

本书由华夏书店初版于1946年6月。此次出版，即以此为底本。

胡绳（1918－2000），原名项志逖，笔名蒲韧、卜人、李念青、沈友谷等，江苏苏州人。1934年，考入北京大学哲学系，参加进步文化活动和抗日救亡运动，1938年加入中国共产党，曾任《全民抗战》编辑、第五战区帝国主义与中国政文工委委员、《鄂北日报》主编、中共南方局文委委员、生活书店编辑、《读书月报》主编等。1940 年代，曾任香港《大众生活》编委，《新华日报》编委，中共上海工委候补委员、文委委员，上海、香港生活书店总编辑，中宣部教材编写组组长，华北人民政府教科书编审委员会副主任。1949 年后，历任政务院出版总署党组书记，人民出版社社长，中宣部秘书长，《学习》杂志社主编，《红旗》杂志社副总编辑，中央马列主义学院副院长，中科院哲学社会科学学部委员，中央文献研究室副主任，中央党史研究室主任，中国社科院院长，国务院学位委员会副主任委员，香港、澳门特别行政区基本法起草委员会副主任委员，中共党史学会会长，中国史学会会长，全国政协副主席，全国人大常委等职。参加《毛泽东选集》编辑工作，参与起草《关于建国以来党的若干历史问题的决议》等。代表性著作结集为《胡绳全书》。

生活 · 读书 · 新知三联书店

2013 年 8 月

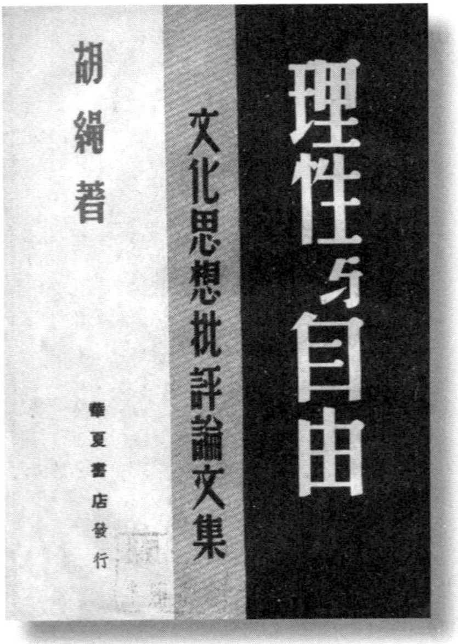

华夏书店 1946 年 6 月初版书影

理性與自由

文化思想批評論文集

著者　胡繩編
發行人　韓近庸
發行者　華夏書店　上海鳳陽路五二三號

中華民國三十五年六月初版

原书版权页

目 次

序　言

收在这个集子中的长短论文共十二篇。其中《论反理性主义的逆流》写于一九四〇年年底，最早。最晚的一篇《论历史研究和现实问题的关联》写于一九四四年年底。除了《评冯友兰著〈新世训〉》一篇是在桂林写的，其余都写于重庆。

一九四〇年年底我在重庆开始注意到国内思想界中的很不健康的一些趋向，这些趋向似乎可以归纳在“反理性主义”这一个概念中，它和民族解放战争的要求是断然相违背的，于是我简单地写了《论反理性主义的逆流》一文，发表在《读书月报》上，正在这一期刊物出版时，一个震动国内外使人痛心扼腕的事变发生了。原来这种思想界的趋向并不是无因而生的。在这同时，我又读到了冯友兰先生著的《新世训》。对于冯先生，我一向是非常钦佩的，但对于这本书中所论，不能不感到有许多值得商榷之处。直到一九四二年在桂林时我才有机会写了一篇书评，在桂林出版的《文化杂志》上发表。以后又回到重庆，在一九四三，一九四四这两年中，陆续写出了其余的各篇。

我把这十二篇文章分成了三个部分。第一部分是对于反理性主义思想倾向的批判。第二部分是集中于复古倾向的批判。这两个部分事实上是相互关联的，反理性主义在中国所找到的最好掩护就是复古，而向封建专制主义时代倒退的倾向自然是和开明的理性对立的。第三部分是对冯友兰先生的两本著作的批评。我不把对冯先生的批评和前面两部分编在一起，因为我觉得，在这里面是应该有所区别的。

把这几篇文章编在一起重印的原故，是因为：第一，八年的抗战时期在中国的政治社会发展史上是一个重要的段落，同样的，在文化思想发展史上，我们也将不能忘记这抗战中的八年。这八年中的政治社会中的复杂变动也适当地反映到了文化思想上面。这几篇文章虽然不能照见战时文化思想的全面，但是这一角的反映也不是不值得回顾的吧？而且第二，八年的抗战是对于中国民族的大播动。经过这次播动，民族的新的生命开辟了发展的道路，腐朽的沉渣也同时泛起了。战争时期是过去了，新的生命必须继续排除万难而大踏步前进，也就必须把这些浮起的沉渣撇清。这本书中所论及的反理性主义，复古主义的倾向本不是抗战期间才开始，也显然不会随抗战的结束而消逝。今后在民主的道路上，中国民族新文化必将展开健康的新时代，对于这些旧时代的沉渣的清算也就不能不继续进行。

这一些文章虽然在不同时候陆续写成，但是在总的意义上是可以概括在《反理性主义的逆流》一文中的这几句话中：

> 我们要坚持科学的精神，坚持思想的自由发展，坚持合理的思考，从这里面培植我们的远大的理想，实事求是的精神，反对一切盲从与独断，打碎一切反理性主义！我们一方面要反对因袭的传统的成见，一方面要排斥西方腐败思想的传染，而……充分发扬清醒的，科

学的，现实的理性主义！

我深信，今后的中国文化发展依旧是和“五四”时代一样要在科学与民主的大旗下前进。科学的基本精神是理性，也就是尊重事实，尊重合理的思考；民主的基本精神是自由，也就是要使千百万人民大众获得自觉的机会和思想的自由。假如在这本书中不但是“破”，而且也有所“立”，那么我所企图的就是保卫理性，保卫自由。我也深信，只有在理性的讲坛上发扬自由的批评，那么中国文化思想的前进发展才是可能的。因此我编集起这几篇文化思想的批评论文，而以“理性和自由”做这本书的题目。

一九四六年三月一日

论反理性主义的逆流

一

谭平山先生最近在一个杂志中发表了一篇《纪念国父中山先生诞日并敬告青年》的论文，在这里面，他向青年提出了几点“最值得注意的问题”：“第一，必须有远大的理想”，“第二，要有实际的精神”，“第三，不盲从，不迷信，反对独断”……他说：“在中国社会中，有种种的束缚；阻碍着青年思想的前进，不容青年怀有远大的理想。一方面是保守的封建势力以因袭的成见，独断的教条强迫青年接受，要青年照着老样子去生活，对一切不合理的现象处之若素，不许怀疑，对权威者的一言一动，盲目的信从，而不许问：为什么？青年要有远大的理想，开阔的胸襟，必须打破这种束缚！……”

破除盲从与迷信，推翻独断的教条，从现实中确立远大的理想，在实际中作实事求是的努力，这是代表着一种什么精神？是清醒的，现实的理性主义的精神。

我们的抗战是正义对非正义的斗争，是人类的理性对反理性的斗争。因此，在我们的抗战中所发展起来的思想文化潮流，其基本的方向，应该是理性主义。

理性主义要求科学，因为科学的精神是实事求是，这是迷信的对立物；理性主义要求思想的自由，因为自由才能保证思想的活泼发展，这是治疗独断的圣药；理性主义要求合理的思考，而所谓合理就是要求逻辑与现实的一致，因为只有这样，才能把一切愚昧的盲从从根基上铲除净尽！

任何一个时代的文化思想在其发展向上的时期，都是理性主义的，而当它表现反理性主义的倾向的转化时，也就表现出了它的没落崩溃。“近代欧洲的文化”，——如谭平山先生所说，“是在反对了中世纪的顽固的教条之后才发达起来的，所以英国近代的第一个大哲学家法兰西斯培根首先提出要打破偶像与成见的主张”。十七十八世纪的西欧文化是理性主义的（注意，这里所说的理性主义与说到经验论与理性论的对立时的理性主义含意有广狭之不同）。但是从十九世纪中叶以后，随着资本主义的向上时期的过去，随着独占的资本主义阶段——帝国主义阶段的到来，随着西方的资产阶级已成为不是助长而是阻止历史的更新发展的势力，于是在文化上也崛起了反理性主义的思想，这种反理性主义表现在哲学上就是直觉主义，神秘主义，唾弃客观的观察与思考而推崇朦胧的直觉与盲目的意志；表现在政治思想上就是对民主政治的怀疑，而以马基佛里的唯力主义为圣经；表现在经济思想上就是庸俗的效用价值说等等。法西斯的思想是反理性主义思潮的集大成者，也就是近代思想最反动的一个表现。

我们在实践上以民族自卫的正义战争来反对法西斯的侵略战争，因此我们也要在思想上发扬理性主义来反对反理性主义。也因此，我们就更要严密检查在我们今日的论坛上由于外在内在的某些条件而形成的某些反理性主义的倾向，加以及时的克服，因为这是有害于中国思想文化的发展的！

二

意大利的法西斯主义的诗人——所谓未来主义的艺术的创始人——马利纳谛（Marinetti）曾经歌颂战争说:“战争是美丽的，因为她建立了力与平静的谐和”;“战争是美丽的，因为它使枪声大炮声，休止时的沉默，以及腐烂时的芬芳的气味，都谐和起来了”;“战争是美丽的，因为它创造了新的建筑术，例如巨大的军用车辆，飞机飞行时的几何学以及焚烧着的村庄中的螺旋形的黑烟”;“战争是美丽的，因为它使男人的身体更加年轻，女人的身体更加可爱”;等等等等。无须解释，这位“艺术家”正是“法西斯就是战争”这格言的最忠实的奉行者，所以他把他的“新美学”建立在战争上，而歌颂着尸身腐朽的“芬芳”，和村庄焚烧时的黑烟的“美丽”。

法西斯主义者这样地歌颂战争是不足为奇的，因为对于他们，除了战争，没有任何出路，没有任何更远大的希望。但是假如我们也跟着大声喧嚷道，目前是“大战国”的时代，一切都为了战争，除了战争，没有任何别的，那是什么意思呢？请看这样的话和法西斯疯狂的呓语有什么差别：“眼见欧洲已踏上大一统的门限，将来的世界大战恐怕是大陆与大陆的战争，所趋的最后方向是以武力得来的全世界大一统”；“体魄健全的当政男儿不能不拿起枪来，准备二百年的苦战，大战国的时代只允许大战国的作风，大战国的作风只有二字——（一）战！所以和平不可能，和平乃下次战争的准备。……”“愚蠢的俗人们，莫以为宇宙是一和平的机构，莫希冀世界大同，世界大同只有在我们的武力统治上才能实现。”（散见《战国策》各期）[1]这些话若出于希特勒墨索里尼与日本军阀口里是疯话，而出于我们的教授们的口里更只是梦话！

难道我们看不出来，法西斯侵略战争恰恰不是美丽的，而是丑恶的；人类的文化的繁荣发展恰恰不是依靠杀戮与破坏，而是依靠自由与和平？难道我们看不出来，我们的抗战恰恰不是为了战争而是为了消灭侵略的战争，这才是正义的战争，值得歌颂的战争？难道我们

[1]《战国策》是在一九四〇——一九四一，在昆明出版的一种刊物，这里面的撰稿人，如陈铨，林同济等，当时被称为“战国策派”，以后在纳粹德国逐渐显露出败象的时候，这个刊物也停刊了。一九四六年二月。

看不出来，恰恰就在目前的全世界的战火弥漫中，已显露了人类的永久的和平自由幸福的文明的道路？我们中国人民浴血苦斗正是为了实现这一道路；我们有这样伟大的理想，所以我们才能实现这眼前的斗争。

三

法西斯主义者高捧尼采，我们的学者也高捧尼采。尼采说："爱和平吧，因为和平是对于新的战争的准备，短时期的和平是比长时期的和平更可爱的。我劝告你们，不要工作，而要战争。"所以《战国策》论客也说："和平乃下次战争的准备"，而把战争当做时代精神的"母题"。尼采说："奴隶性是构成文化的主要的必须条件之一"，所以《战国策》论客也主张民众应该像奴隶一样地崇拜英雄。尼采说："男人底教育是为了战争，女人底教育是为了给战士安慰"，所以《战国策》论客也要在"大战国时代"高唱新贤妻良母主义。……

然而西方的法西斯主义者还不只是以尼采为满足，更想和黑格尔攀亲。黑格尔——这一个伟大的辩证论者，因为受了他的观念论外衣的束缚，在其思想体系中，特别法律哲学的一部分表现出了反理性主义倾向。因此黑格尔一死，他的继承者就循着两条道路发展：一方面，人们接受了他的辩证思想，发现其合理的核心，把他的整个体系加以一次颠倒，使之成为现实的斗争武器；另一方面，人们发扬了他的反理性主义的思想要素，用直觉主义来解释他的辩证法，阉割了其中革命的要素，使之成为神秘的东西。所谓新黑格尔学派正是做着后一方面的工作。西欧的在没落中的市民层就利用了黑格尔的显赫的名字，而用新黑格尔主义的精神来对抗对于黑格尔思想的革命的改造与发展，这种办法在我们这里居然也发生了反响。

贺麟教授在最近发表的一篇论文中，就特别引证了德国克洛那（Kroner）教授的话："黑格尔是最大的非理性主义者或超理性主义者，也可以说黑格尔是理性的神秘主义者"；且加以诠释说："此语颇博得现代许多黑格尔学专家的赞许，盖最近的趋势皆欲纠正前此认黑格尔为纯理性主义者或泛逻辑主义者的偏误也。"接着他又引证哈特曼（Hartmann）教授的话说："…… 无论在任何情形下我们也不能否认辩证法中有暧昧不明处，神秘莫测处。此显系出于天才，虽可修养，但难于模仿。它实是一种特有的原始的内心洞观，而且是一种高远的洞观……，”于是贺麟教授也跟着说：“黑格尔自己承认这是一种洞观，是一种有神秘意味的思辨的真理。但是所谓神秘的非是反理性的，不过此种由物的正面究极到其反面，由物之对立而洞观其统一的直观，非一般形式的分别的理智作用所可了解罢了”。尽管他声明并非反理性的，但用“直觉”与“洞观”来解释黑格尔，岂不正是把黑格尔思想反理性主义化了么？（贺麟教授文，见《时代精神》三卷一期）

不能否认的，黑格尔的著作中有许多神秘主义的色彩，但这并不是他的思想光芒之所在，而恰恰是掩蔽其光芒的黑雾。现在，所谓“黑格尔复兴运动”却并不在于去真正发扬黑格尔的思想光芒，而是企图把这神秘主义的雾罩得更浓，想使辩证法永藏在这雾中，以消蚀它的革命性，因此，这也就是企图以黑格尔的反理性主义的发展来虐杀黑格尔的理性主义的发展。西欧在没落中的资产者早已做过这样的努力了，但并没有得到什么足资夸耀的成绩，中国的学者捺拾其唾余，有什么光荣呢？

四

“战国”派的林同济教授最近又发表了一篇洋洋大文，叫做：“第三期的中国学术思潮”，据他在这篇文章中分析，从“五四”以来，现代中国学术经过了两个阶段，第一阶段是从民八到十八年，“可叫做经验实事时代”，以胡适之的《中国哲学大纲》为开山之作，第二阶段是从民十八年以后，是“辩证革命阶段”，以郭沫若的《中国古代社会研究》的出版发其端。而现在，是要准备踏进一个新的阶段了。关于林先生对过去中国学术思潮的阶段划分与其认识，实在很有问题，这且不去说它，只看他心目中所要展开的新阶段到底是怎样的呢？于是我们就劈面遇着一大套的玄妙的论证：“乃是一种崭新的作法，迫近一种鸟瞰的姿势，代表航空时代的一种作风，有如列御寇乘风而行，两万尺下，山川陵谷，高低斜平，历历在眼底，呈涌出一幅浑成图画，自有它的‘母题’Motif，它的整个骨相的。”真是老子所谓:“道可道，非常道”，所以林先生也说:“我无以名之，欲名之曰文化综合 Cultural-synthetic 或文化摄相 Cultural Configurative 时代”。读者恐怕简直就不知道这是在说些什么，请略加以诠释。

原来当今之世，战争有所谓“全体性战争”，国家有所谓“全能国家”，于是见猎心喜，文化也不妨来个“全体性的文化”或“文化的全体观”了。这是其立意的由来。但怎样把握这“全体”呢？本来对一个民族文化不要作片面的局部的观察，而要认识其总体与全面，是不错的。辩证唯物论者从来没有企图以局部的把握代替全面的认识，而正是要通过分析把握丰富事实而加以系统的综合。但林先生认为这样不行，他要高高超出于杂多的事实之上，而用慧眼的一瞥来洞彻于上下古今。这确是相当神秘而难以言传的，所以林先生不得不借助于种种譬喻来说明他的见解，甚至借助城隍庙中看相先生来打比。原来他所谓“摄相”的“相”即“看相”的“相”也。据说是看相的，虽也看你的面貌骨骼，但他还要看出超乎面貌骨骼以上的神气，怎样才能看出这个呢？——那就不能不借助于贺麟教授所说的“高远的洞观”，“神秘的直观”了。林同济教授自己也说，要认识整体“不是加减乘除问题，乃是灵机神会问题”，因此才要“航空”，而且越高越好！因此才要脱离了分析而谈综合，脱离了事实而谈玄妙的“体相”！

林同济教授有几句话说得还有点道理：“第一期的功绩在扫荡千余年道学面孔的淫威，捧出冷酷的事实来打碎那麟甲千秋的载道设教的老偶像。细验此中，乃含有一股纯理智的精神”。是的，“五四”初期的学术思潮是贯彻着理性主义的精神的，那就表现为德先生赛先生的呼声，而林同济先生所谓第二期的学术思潮也依然是理性主义的。现在林先生想对第一二期来一个反动，那正是想以反理性主义来反抗理性主义。

然而在西方支持着反理性主义思潮的政治势力已在这世界大变动中日趋于没落的时候，人们却在东方为之摇旗呐喊，亦多见其不学无术而已。

五

正因为我们抗战不只是为了战，更是为了建国，而在建国工作中，学术文化的建设是最重要的部门之一，所以最近，似乎许多方面都在注意着今日中国学术文化发展的动向的问题，上举林同济先生的话正是其中之一。这问题确是一个远大宏阔的问题，但是倘明确的把握着整个世界的政治发展的动向和中国政治发展的动向，这问题也不难得到结论。而也正因为目前整个世界处于最复杂的变化之中，一眼看去，似乎一切都在未定之天，这就闹昏了许多人的头脑，在各种问题上作出了荒谬的结论。在这里，我们不打算详细讨论世界与中国的发展动向，但我们可以断言的是：以世界范围来说，从十九世纪中叶以后勃发起来而每况愈下的西欧反理性主义思潮已经绝对地没有出路了，正如它们的支持者在政治上的没有出路一样；而在中国，既然从“五四”以后，在搬运西方的学术东来之际，早曾零碎地带进了许多反理性主义的出品，却并不能在国内起多大的作用，那么，在今日，正义的民族解放战争正在使全国人民的觉醒与力量飞速提高的时候，更难给反理性主义的学术思潮以任何发展的余地了。

整个人类将从战争的烽烟中获得理性的充分解放与

发扬，中国的学术文化的发展路向也终归不能不是理性主义的。

这是一条坦荡的大路，洋溢的长流。然而在大路上有障碍，在长流中有逆流，这种反理性主义的思潮在今日个别地出现是深可注意的事。而其发生的原因也是不难解释的吧！

逆流是不能永在的。但正因为逆流的存在，我们就更不得不坚持主流的发展。

我们要坚持科学的精神，坚持思想的自由发展，坚持合理的思考，从这里面培植我们的远大的理想，实事求是的精神，反对一切盲从和独断，打碎一切反理性主义！我们一面要排斥因袭的传统的成见，一面要排斥西方腐败思想的传染，而在民族解放战争的发展中充分发扬清醒的、现实的、科学的理性主义。

一九四〇年十二月

一个唯心论者的文化观
——评贺麟先生著《近代唯心论简释》

站在唯物论的立场上，批评一个公开的唯心论者，倘从基本点上来争论，那么我们不能不再提起在这哲学上的两大营垒之间已经不知道争论过多少次的许多问题，但在这个书评中却不打算这样做。我们所要评论的这本书，从其题目看，虽然像是本系统地解释唯心论哲学的书，但实际上却是一本论文集。其所以引起我们兴趣的地方是在于它的作者所企图进行的“文化批评”的工作。作者说:“批评文化可以说是思想界最亲切，最有兴趣，对于个人和社会，对于物质生活和精神生活最有实际影响和效果的工作，因为文化批评一方面要指导实际生活，一方面又要多少根据一些哲学理论。所以文化批评乃是使哲学与人生接近的一道桥梁。”（页二五七）我们在这里要讨论的也就是：这书的作者从他的唯心论的观点与立场出发，在文化批评上到底进行了怎样的工作。

事实上，和本书同样观点与立场，并企图进行同样工作的著作目前也还不少，我们之所以独选择这一本者，是因为第一，本书作者非常正确地把自己归于唯心论阵营中，不像有些扭扭捏捏装做什么物心综合论者那样叫人作呕，其次则因为本书在同类著作中是算得比较有见解的，比较的能成一系统的。

现在我们就来讨论贺自昭先生——这一个唯心论者的文化观，但我们还不得不先说明一下他到底是怎样的一个唯心论者——

直觉论的神秘主义

在本书中，有一篇附录，是德国 Heinrich Meier 的分析近五十年来西洋哲学的论文，其中说得好，“由注重直觉而陷于无理性，由理性的绝对主义，而走到无理性主义，此实现时哲学界最显著的事”（页三四九）。

虽然这位德国教授对于这种反理性思潮的分析是非常不完备的，但他正确地指出了直觉论与神秘主义和反理性主义之连接，认为这是“对于真理之反叛”，并且他指出这种倾向是肇端于十九世纪末年，而“自欧洲大战后愈益流行”。在我们看来，这种思潮正是大资产阶级腐败没落的表现，当然是代表不了这五十年的整个哲学界的。站在古典唯心论立场的这位德国教授却不能不对唯心论的这种没落痛心疾首，认为“自此种哲学流行以来，哲学界显然弄成一种可怕的无批判无指针的状况”。

奇怪的是中国的贺麟教授在翻译了这一篇德国教授的论文后，并不能断然否认直觉的反理性的意义，却又自白道：“我个人对于此问题也异常徘徊迟疑，但经过很久的考虑，我现时的意思仍以为直觉是一种经验，复是一种方法。”（页九二）终于说：“我们谓直觉方法与抽象的理智方法不同则可，谓直觉方法为无理性或反理性则不可。”（页九四）然则这到底是怎样的一种方法呢？他又用不确定的口气说：“直觉法恐怕更是基于天才的艺术。”（页九四）并且直觉又可以是“先理智的”，就是说，在运用理智前，先可以用直觉来慧眼一瞥地得到“对于实在对于理念的整个印象”（页九六）。而理智的作用却不过是分析这种印象而已。

唯物论者认为感性的认识是先于理性的认识的，人们透过感觉的认识才能对于外物实行理智的思考。多数的唯心论者则相反，把理智置于感觉之前。但没有从感觉中所得到的实在的经验做基础，所谓理智岂不是完全落空了么？于是当唯心论发展到其最后阶段，就索性把理智也推翻了，在理智之前，更设一所谓“直觉”的阶段，而这直觉是“天才”的“艺术”，平常人所无法企及的。这样他们就更远地离开实在的知识，而更深地进入神秘的境界了。

所以，贺麟先生虽自认为绍述康德与黑格尔，但实际上却是那些把整个康德黑格尔学说神秘化，反理性化的新黑格尔学派——德国的 Kroner，意大利的 Croce 之流的同盟弟兄。这些侮辱了那位伟大的辩证法哲人的名字的德意学者，现在已经成为法西斯主义思想上的保护人，而我们的贺麟教授也跟随着把黑格尔学说和辩证法神秘化起来。他对辩证法的描写是“辩证法一方面是一种方法，一方面又不是方法，是一种直观”，“这需要天才的慧眼”,“理智的直观每为大诗人、小说家、戏剧家、政治家、宗教家所同具,且每于无意中得之”,“无论获得辩证观也好,运用辩证观也好,都需要艺术式的创造天才”。(均见本书《辩证法与辩证观》一文中。)

很显然的,假如这样的“直观”,这样解释的辩证法,是成为方法的话,这种方法就只是神秘主义的方法,这种方法不能引我们到真理,而只能引我们到混沌。

想用这样解释的辩证法当做武器来攻打唯物论的辩证法,那不过是想以一个无处着落的黑影子来对敌辉煌的阳光罢了。

超历史的范畴

但要以慧眼的洞观,天才的直觉来在瞬息之间,了悟过去与当代的文化,这怎样能办得到呢?唯物论者从实际历史发展中讨论过去的人类文化是经过怎样的历程,以后又将是怎样发展下去,但这种讨论,在贺先生看来是“形而下的”,与哲学无关。哲学却是要“单就理论上先天地去考察”社会文化所“应取的步骤或阶段”。（页二三二）这就是说：可以不顾过去历史“是”怎样；而专从理论上来讨论它“应该是”怎样；因而也就是不从现实的发展趋势来推究以后将“是”怎样，而只是从理论上推断其“应该是”怎样。这所谓理论是先天的，先经验的，先理智的。——这是何等奇怪的理论啊！对于主张这种理论的人，我们只好说：你愿意白昼做梦，你就去白昼做梦吧。你不管真理，真理也不会来理你！

但一种理论既和事实无关，到底有什么用处呢？与社会进化的事实无关的社会进化的逻辑，对于文化能起什么批评作用呢？——贺先生回答道：理论（先天的逻辑）与事实，虽不相关，但却能往往相符合。为什么呢？他又告诉我们，这是因为理论本身既是合法则的，则虽是先于经验，经验的事实却不会违背它。这实在是很奇怪的。依照此说，则我们可以完全不知道历史，光凭空洞的逻辑，就能设想出社会进化的历程，而历史事实却刚好和这设想相符。这是无论如何也令人难以想像的。于是贺先生又补充说，事实之所以符合理论，原来是因为“事实本来是经理论逻辑，先天范畴加以组织整理而成”（页二四九）。我们先有对于社会发展的幻想的公式（对不起，我们只好称这是幻想的公式），然后根据这公式去整理事实，于是结果，事实就符合了理论。这固然是明白易晓的事，但如此做法，我们对于事实了解了一些什么呢？我们对于社会的发展了解了一些什么呢？那不过是任意改造事实来牵就理论罢了。

目前流行的对唯物史观的“批评”是说，唯物史观只依照主观的公式来安排历史材料。但这批评，如上所述，恰恰倒正是这些唯心论者为自己的写照。本来，一切唯心论者——特别是进入其腐败时期的直觉论者，无例外的，是绝端的主观主义者。他们假设了“先天的范畴”而把历史硬装进去。

既然是依照“先天的逻辑”来纯主观地批评社会文化，当然他们就可以十分自由地，不顾古今中外的不同（用贺麟先生的话，就是“超时空”地）任意搬弄一切文化历史的现象。像在这本论文集中就把十七十八世纪欧洲的人本主义和中国古代儒家之注重人伦混为一谈。（页二七五）具体的文化历史条件，和由而产生的，在仿佛相似的面貌下的相反本质是完全被弃置不论的。这样一来，一切发展进步也就毫无意义了。所以贺麟先生说："从旧的里面去发现新的，这就叫做推陈出新。必定要旧中之新，有历史有渊源的新，才是真正的新。"（页二七四）固然我们也从不以为，新的事物是与旧的事物完全无关，突然跳出来的；但这并不是说，"从旧的里面去发现新的"（这是承认新早已存在在旧里面），而是从旧的里面发展出新的：旧经过发展，变革而成为新的。

市面上现在流行着许多新字号的产品——新理学，新世训，新人生观，其所谓新，就正是如贺麟先生所解释的。在基本上，他们都是用超历史的范畴来抹煞新旧的差别，把旧货改装一下，当做新货来出卖。

人与天的关系

什么是文化呢？贺麟先生说：文化是"精神自觉的活动之直接产物"（页二），文化的本质是精神。而精神呢，则是"指道或理之活动于内心而言"（页二六三）。总起来说："道之凭借人类的精神活动而显现者谓之文化”（页二六二）。很明白的，在这里的意见不过是黑格尔学说中适合于神秘主义者的脾胃的一部分的抄袭。其所谓“道”是超越文化，超越一切自然与社会的物的，这实在是不可捉摸的东西，而要加以捉摸，就只有乞怜于宗教。所以贺麟先生在一切文化物中，特别重视宗教，他说：“宗教以调整人与天（此所谓天，就是所谓“道”的注解——引者）的关系为目的，道德以调整人与人的关系为目的。在此意义下，我们不能不说，宗教为道德之体，道德为宗教之用。”（页二六五）既然说不从社会关系上来说明道德，而是把来看成天意在人事上的反映，则道德自然要受宗教的支配。而现实社会中的道德——为了固定一定的社会关系而产生的道德，也就要被看成是神秘的东西，是由不可抗的天意所决定的了。在一定的社会中产生一定的人与人的支配关系，这种人与人的支配关系，在贺麟先生手里却被解释为天对于人的支配关系。经过这种解释，人与人的支配关系就被合理化，神圣化起来了。——这正是在神秘主义外貌中的本质。

最清楚地表现这种本质的是贺麟先生对三纲五常的

新解释。所谓君君臣臣父父子子的五常，所谓君要臣死不得不死，父要子亡不得不亡的三纲，本是反映着封建等级社会中的人与人的支配关系的道德教条，而贺麟先生则以为从这里发现了“新”的东西。他说：“三纲说是将人对人的关系，转变为人对理，人对位分，人对常德的片面的绝对的关系。故三纲说当然比五伦说来得深刻而有力量。”（页二八四）他以为臣必须尽忠于君并不是表示君支配臣，而是“对名分，对理念尽忠，不是做暴君个人的奴隶”（页二八五）。——这正是向一切奴隶说教，你不必苦恼，要知道你并非服从你的主人，你不过是服从那个在主奴之间的天理罢了。

然而贺麟先生却以为五常说和西洋的人本主义相当（页二七五），三纲说更是和“西洋向前进展向外扩充的近代精神相符合”（页二八六）。——他既然对于西欧思想，只是抄袭了其末期的发着腐尸气味的糟粕，他根本就呼吸不到那与无神论相结合着的人本主义，与唯物论相联系着的健康的精神。“近代基督教是整个西洋文化的缩影与反映。”（页二六七）——贺麟先生所看到的西洋近代文化就是如此。

那么，我们在关于中国现在的文化问题上还能向贺麟先生要求什么呢？他固然批评了中学为体，西学为用说，批评了全盘西化论，批评了本位文化论，然而当他自己主张说："应该以道，以精神或理性作本位，换言之，应该以文化主体作为文化之本位"（页二七二）时，其实是和那些说法一丘之貉，甚至还要更落后一点。假如还不懂贺先生的意思，那么请读下面这句子吧："现在的问题是如何从旧礼教的破瓦颓垣里，去寻找出不可毁坏的永恒的基石，在这基石上，重新建立起新人生新社会的行为的规范和准则。"（页二八八）

从欧洲贩运来大资产阶级的腐败时期的直觉论和神秘主义思想，回来加入到旧礼教的复古营垒里去——这倒的确是目前中国文化中的一个值得我们深思的现象。

一九四二年九月二一日

思想的漫步

一　关于“人本主义”

近来很多人说到贞元交会，贞下起元这类的话，其意盖谓中国处在现在的时代，正是在文化上承先启后的时期。这样的说法是可以承认的，但是我们不能不问，到底承什么先，启什么后，也就是说：要怎样地接受中国旧文化的遗产？要创立怎样的一种新文化？对于这两个问题，向来就有各种各样不同的回答。

就前一个问题看，那么就必须对于三千年来的中国旧文化作一番检阅，看看里面到底有什么好东西没有。清末张之洞提出“中学为体，西学为用”之说，是以为中国“自古以来”关于义理性命的学说与伦理观念是永远不会变的。但他们却说不出什么理由来，不过是说，这些东西是先圣先贤所传下来的大道理，不可轻易变动。这种说法，禁不起几番历史上的大风浪，至今就连李长之先生也说："一般人很诟病中体西用这句话。我对于这句话也一向没有好感，我一见这句话，就宛然像看见清末民初的那些留半截辫子的维新党，或者那些既缠又放的女人脚一样。"[1]但是李长之先生其实也是主张"中体西用"的，他说："我觉得中体西用这句话的毛病，不在这话不对，是在当时人并不了解其中的意义。"由此可见，李长之先生不过是不满意于张之洞所说"中学为体"的说明含混，而企图加以新的解释，所以他向自己问道，"中国的体到底是什么？……中国文化传统的长处到底是什么？以此为体，到底是基于它的本身价值，还是只由于吾人爱国的情绪？……"答复自己提出的问题，他说："中国过去的文化的特长是在人生方面，其精神是审美的。《乐记》上每说：人情之所不能免也。人本主义就是我们一切文化的根本。本来文化不过是为人生的，讲人生须就'人'的立场，并须就'生'的立

[1] 李长之:《中国文化的现阶段》(《新认识》六卷三四期合刊，三十一年十二月出版)。

场。中国过去的文化特点却就是如此。”

照李长之先生的说法，中体西用说得到了一个新的护符。他所指出的两点，其中第二点说，中国文化以人情为本位，而与西洋文化之以理知与意志为本位相对立，这点，我们暂不加以讨论。现在我们要讨论的是他所指出的第一点，那便是说：中国文化是以人为本位——“人本主义是我们一切文化的根本”，——而与西洋文化之以物为本位相对立。这种说法是很值得商量的。

但这种说法又不仅出于李长之先生一个人，我之所以取李说者，不过是当做这种说法的一个代表而已。倘要另举一例，我可以举出谢扶雅先生的文章，他说：“我民族五千年来思想的过程，实在是绵绵一贯；它的本质彻头彻尾地是人本主义（humanism）。人本主义原是一个西洋名词。西洋历代常有人本主义的思想，例如古代的智辩派（Sophists）及苏格拉底，中世文艺复兴期的‘人底发现’，近代英美的人性主义（humanitarianism）及实用主义（pragmatism）皆以人生为中心，皆对‘人’发生特殊兴趣，反乎传统的‘物’或自然中心的思想。不过中国的人本主义更侧重人的伦常方面，致力于人我相互之和谐，不像其他民族的偏重个人性或转而偏重集众性罢了。我国人本主义的表现便是数千年来的儒学。”[1]这段话更是分明地认定，中国传统文化的“本质”是人本主义，而这所谓人本主义正是西洋 humanism 一字的翻译。

用做西洋名词的翻译，人本主义的原文可以有两个字：humanism 与 anthropologism。假如是后者，那就不过是一种重视人的思想，在西洋思想史上是一种落后的思想。假如是前者，在中文里也有人译做“人文主义”或者“人道主义”，那是到了欧洲文艺复兴期才勃兴的一种新的思潮，其内容却不是用重视人这一点就可以包括得了的。因此很显然的，谢扶雅先生对“人本主义（humanism）”的解释是很混乱的。而无论谢扶雅先生还是李长之先生，其对中国传统文化的说明都不足以证明其在“根本”上或在“本质”上是 humanism 的人本主义，充其量也只是一种抽象的具有一定历史内容的的人本主

[1] 谢扶雅：《我国的人本主义——儒学》（《时代精神》七卷四期，三十二年一月出版）。

义而已。

既然把人本主义当做 humanism 的译文，那么人本主义就不能不和欧洲近代的黎明期——文艺复兴期的“人的发现”运动有着密切的联系。所谓“人的发现”，也可以说是“人的自觉”：自觉是一个独立自主的人，有独立的思考能力，有自主的决定能力，对于一切周围的事情，自己可以负责任。不是像在中世纪那样，一个人应该想些什么，做些什么，都已由宗教的教条死死地预定着了，相反的，一个人在思想与行动上是应该有自由的，是要不断地怀疑、探索、追求、前进的。所谓“人的发现”，又包含着人与人的相互承认与尊重的意思，那就是说，每个人不仅把自己看做是一个独立的人，而且也把旁的人看做是独立的人，也同样有独立地思想与行动的权利与能力。因为从人本主义的精神里发扬了思想的自由，于是就有助于科学的产生：又因为人与人相互承认与尊重，则从人本主义的精神中必然发展出民主的观念。

从这样的人本主义的意义上来看中国传统的思想文化，岂不是必然会得到和李长之先生与谢扶雅先生以及其他持类似论调的先生们完全不同的结论的么？

固然从中国过去的文化思想中并不是根本找不出一点人本主义的要素来。但是根本上说来，中国旧思想中的无论那一个流派都并不是人本主义的。墨家思想比较上还多带人本主义的成分，但是他们讲上同，讲天志，讲明鬼，那又是非人本主义了。只有从他们那兼爱尚贤的思想和行侠的精神中还流露着人本主义的气味。从印度来的佛教思想，不用说得，更是和人本主义完全对立的；而从本国土壤中生出的道家思想，虽然像是向往于独立自由的生活，但其实却是出发于以人为刍狗的悲观心理，而企图在心理上得到超脱的境界，这种思想与人本主义也是根本对立的。至于儒家思想——那是谢扶雅先生所认为是“我国人本主义的表现”的，纵然可以找出若干人本主义的成分，但是从根本上看我们不能不说：儒家思想并不是人本主义。以为儒家思想是人本主义的唯一理由就是，儒家不谈天，不讲自然，其思想学说是以人伦观念为中心。但是在我们看来，儒家的人伦观念，不仅不足以证明其为人本主义，相反的，恰恰足以证明它不是人本主义。因为，凡人的思想行为由独断的教义所严格地规定着，无论这教义是宗教的还是伦理的，那都是反乎人本主义的。

要说明这一点，我想不妨举出一位赞美儒家思想的先生的文章来看一下，这便是陈定闳先生的文章："要社会根本不变动，即要使其根本没有解组现象，只有将一切成训、习俗、行为、规则、制度等，使其能为真正的控制手段，要它们具有真实的控制的功能，这些制度风俗控制人心的力量不减少时，社会便不会解组。孔子颇能知道社会控制的重要，所以提出他的'礼乐'的主张。"[1]我想，有了这段赞美者的忠实自白，我们是可以不必再加上什么说明了。既然"礼"成为控制的手段，人们只有服从它的义务；既然一切思想的方式和行为的法则都在礼的名义下成为僵死的不变存在，人们只能在这中间打圈子，那么还有什么人本主义的精神呢？

谢扶雅先生一方面说他所讲的"人本主义"就是西洋之所谓 humanism ；一方面又说儒家的人本主义比西洋的任何一派的人本主义更为完美。照他看来，西洋

---

[1] 陈定闳：《孔子学说与当代思想》(《三民主义》半月刊二卷四期，三十二年二月出版)。

的人本主义或者是重个人，或者是重集体，“儒学则恰居其中，不偏于个人，亦不偏于集体，只是中正的‘人本’”。但是既讲人本主义，而又不重个人，也不重集体，那还剩什么呢？所剩下的就只是人与人之间的关系了，而当把这人与人间的关系抽象化，固定化成为不变的伦理，发挥出控制的功能时，于是人并不是独立自主的人，而只是那绝对的伦理关系的担当者了，于是个人与集体都隐没到了抽象的伦理教条之中，巍然存在的只是那三纲五常的金字了。这是什么人本主义呢？

由此可见，倘以为一种思想，只要它讲到人，就可算是人本主义，那是对人本主义的歪曲。谢扶雅先生甚至说，连“老庄杨朱与魏晋清谈玄学”也都是人本主义，不过那是偏于“个人性”的而已。倘所谓人本主义的意思不过如此，也就没有什么值得推重的价值了。其实一切思想，既然都是人类创造出来的，所以其归结总不能不牵涉到人，那么岂非一切思想都可以叫做人本主义了么？欧洲中世纪的思想又何尝不讲人？岂独中国旧思想是“人本主义”的呢？

李长之先生还说，中国过去思想的长处是讲人，短处是“对于物太忽略了”，这也是张之洞的理论的新说法，也是现在许多人所最津津乐道的话。这种说法也是不对的。以为西洋的科学发展是由于“重物”的思想所致，而中国则因为不重物而重人，所以科学不发展，这是皮相的见解。从文化史看，欧洲科学的发达正是在文艺复兴期的人本主义思潮发展以后，人本主义的思潮解放了人的思想，提高了人对客观界的作用，于是人才不断地向自然探索，而创造出科学来。因此，我们可以说，中国科学的不发达不是因为人本主义的思想过重，而恰恰倒是因为思想还没有经过人本主义的洗礼！

为了科学的发展，为了民主生活的发展，中国在文化思想上是非常需要接受人本主义 humanism 的洗礼的。正因为过去中国文化中缺少人本主义的传统，因此在接收遗产时，就决不能原封不动地拿来，而也必须从人本主义的立场上，对于过去中国的思想文化加以批判的改造。但假如只是利用人本主义的名义，说过去中国思想在本质上彻头彻尾地都是人本主义，而加以全盘接受，那就不过是张之洞的说法的新化装而已！

二 “不变”的伦理

是不是有永远不变的伦理规则，道德规则？这个问题在复古论者看来很简单，一切伦理规则，道德规则都是永远不变的。

但实际上社会生活是在日新月异地变化着，使得绝对的不变论不能不起动摇。于是产生了一种企图，想从变中找出不变来。

有一种很幼稚的说法，也可以说是老说法。那是说：伦理道德的实际内容固随社会的变化而变化，但其抽象形式却是永远不变的。这种说法纵然可以成立，但他所死死拉住不放的却不过只是一个无内容的空洞的东西。关于这种说法，我们可以随便举一个例，如袁月楼先生说：“……伦理道德的实际内容，只是一时代一社会所公认的行为法则，而非万世不变的规范，譬如中国古代殉葬割股之风，在今日已认为不是正当的合法行为，就是这个道理。但这只就伦理道德的实际内容来说，至于它的合理标准，则不受时间性的影响，可以俟诸百世而不变，推之四海而皆准，此类合理的伦理道德，无疑是必存在的。因为这种道德都是从人与人的合理关系中所得出的抽象化了的标准，可以古今不易其道，泛行全世界而无不得其宜。”[1]从这段话里也可看出其立论是何等牵强。——在实际内容以外，另有合理标准，怎样说得通？如何证明这合理的标准是存在着的呢？就因为那是一合理的”，所以“无疑是必存在的”。这是什么逻辑啊！

对于上述这种自己也说不清楚的道理，我们也不值得加以理会。我们转过来看一看冯友兰先生的意见。他在《新理学》、《新事论》、《新世训》诸书中都讨论过这个问题。不久前在重庆又作过一次总题是“当前的几种思想问题”的连续演讲，其中所提出的第一个问题就是“新旧道德问题”。冯先生承认有新道德，也有旧道德，道德既有新旧之分，当然就是变动的，但是冯先生又承认在可变的道德之外，另有一部分的道德是不变的。照冯先生的说法就是，跟着“某种社会”而来的某种道德是可变的，但跟着“社会”而来的道德，却是不变的。

[1] 袁月楼:《力行哲学与伦理建设》(《时代精神》七卷四期，三十二年一月出版)。

这种说法，看起来，似乎是言之成理的，因为这既顾到了社会的变动，而又顾到社会无论怎样变动，总还是一个社会，既然总是社会，则其中就应该有共同的道德规律。但若细加考究，就知道这种说法本身就有很大的矛盾。冯先生之所谓社会不过是对于各种不同的社会，抽象掉其中的特殊性，而得到的共相，冯先生自己也在“新旧道德问题”的演讲中说道：“‘社会’不是某个社会，不是某种社会，只是社会。说到这里也许有人要我拿出一个来看看。这倒是不成的，……单单只是社会的社会，是不能拿来看的。”[1]这正是说，我们所看得到的，所生活于其中的，总是某个社会，某种社会，而不是抽象的“单单只是社会的社会”。既然我们不能只是生活在社会中，而必须生活在某种社会，某个社会中，则纵然采用冯先生对道德的定义，“道德是某一社会的分子为了要维持其社会的存在，所必须遵守的基本规律”，那么人们也就只能生活在某种道德，某个道德之中，而不能只是生活在道德之中。脱

[1] 冯友兰：《新旧道德问题》演讲稿（《文化先锋》一卷二十五期，三十二年二月出版）。

离了社会生活的具体内容的常存不变的道德规律，事实上只能是“抽象的合理标准”，其为空洞的东西，正和“只是社会的社会”一样。

但是我们也应该指出冯友兰先生对道德内容的具体说明，比了一般的复古论者，中体西用论者，还是有其进步之处的。他所指为“不变的道德”的例证的是仁义礼智信，他所指为“可变的道德”的例证的是忠孝。他认为过去人忠于君，孝于亲，现在人忠于国家，孝于民族，这并不能证明忠孝也是不变的道德，因为只是“沿用忠孝两字，但意义已有不同”。这种说法显然是对的。但复古论者先生们却是把忠孝也看做不变的道德；他们或者只是抓着一个空洞的名词，或者——更多的场合——是在表面上换用新的意义实际上却是在旧名词之中把旧意义也一并输入。冯先生的理论的破绽是在于，我们固然也要仁、要义、要礼、要智、要信，但是从今天的社会生活内容来看，真的我们可以说，这些名词的实际意义就和孔子那时所讲的完全一样么？

我相信，其中是有不同的，这不同，要用最简单的话来说，那就是如前一节里所说：这些道德标准，在今天运用起来，是必须经过现代的人本主义（humanism）精神的洗礼的。假如不注意到这种不同，我们就会或者是和复古论者走入同样的陷坑，或者是只抓到了几个空洞的名词和抽象的规律而对于现实的生活并不能有所帮助。

但是对于道德的变化与否的问题，我们还应该更进一步追究。因为问题还不仅是是否道德跟着社会的变动而变动，并且还有一个问题是：我们对于社会的变动采取什么样的态度。可能的态度不外乎三种：第一是阻止社会的变动，第二是消极地顺应社会的变动，第三是促成社会的变动和向上发展。儒家的态度属于第一类，道家的态度属于第二类。而这两种态度，特别在社会的变动表现得特别明显的时候，又常常是互为表里，以与第三种态度相对立。

正因此，要讨论道德的问题，就不能不看出，一方面有在实质上只是为了维持这个社会的存在的道德，一方面有为了发展改进这个社会的道德。——所谓新旧道德的问题，不从这点出发，也是说不出所以然来的吧？

适应于中国社会现阶段抗战建国的道德，不用说得，是必须从不仅承认变动，而且对变动采取积极态度这一点上出发的；因为抗战建国本身就是变革与创造的大事业。人们为抗战建国而服务，就不能不服从变革的，创造的道德伦理的观念与规律。

但也有人认为在道德伦理上是不可能有变革与创造的。如上一节所引陈定闳先生的文章就说，道德的功用是作为一种控制手段来使社会根本不变动。从这里出发，就必然得到旧道德永远不变的结论了。再如胡一贯先生，他把人的行为分成经济行为与伦理行为，经济行为是对付自然的，伦理行为是对付社会的。而照他的看法，则只有“对付自然的经济行为”可能是创造的，而在“伦理的社会行为”中则只能“服务”，不能创造。[1]同样的意思，刘厚载先生的文章更说得明白，他说：“一部分革命家，往往错认青年们最富于斗争性，这是错误的，尤其是危险的。青年们并不富于斗争性，只是富于活跃好动性，好动性遇到障碍；方成为斗争的现象，所

[1] 胡一贯：《革命的人生观》（《三民主义》半月刊二卷七期，三十二年四月出版）。

以，斗争乃是一种后天的变态，唯好动性才是先天的常态，当然，革命事业是会遇到无数的障碍，但障碍有大自然的与人为的，遇到大自然的障碍，应当斗争，这不会有流弊，遇到人为的障碍，就不当斗争。”[1]

固然，青年先天地就富于斗争性，那本来是说不通的事，也没有什么“革命家”这样说过。假如不遇到实际的障碍，难道也是一味地要去“斗争”么？但是若说，只能向“自然的障碍”斗争，而不能向“社会的障碍”斗争，那实在是自有“革命”二字以来的最新的解释了。孙中山先生“致力革命，凡四十年”，难道不是向社会的障碍斗争么？全民族现在抗战了六年，难道作为斗争对象的日本帝国主义的侵略，不是社会的障碍，而是自然的障碍么？假如说，对社会的障碍不必斗争，那么应该怎样呢？刘先生回答道，“遇到人为的障碍，只用仁爱去感化，发扬至忠至诚深仁厚爱的伟大精神，去使顽石点头，决不用武力阴谋去斗争。”——对于在革命行动中的同伴固然要发挥仁爱的精神，但也不仅是空泛的

[1] 刘厚载:《革命与人生》(《三民主义》半月刊二卷七期，三十二年四月出版)。

仁爱，更要有实际的互相尊重互相批评的精神，但对于敌人，对于革命的障碍，对于今天我们所面对的敌寇汉奸，我们也是用仁爱去感化么？而且把革命的战争（包括今天全民族的抗日战争在内）看做是“武力阴谋”，那是何等的侮蔑啊！

从这样的对于社会行为取消了创造与斗争的观点出发，来谈伦理道德问题，其趋向是如何，那还用说么？胡一贯先生与刘厚载先生的文章的题目一个是“革命的人生观”，一个是“人生与革命”，但取消了在社会活动上的创造与斗争时，革命岂不就只是空洞的幌子了么？

三　人的尊严

前文中曾谈到人本主义——人道主义，我的意思是说，真正的人道精神是我们异常需要的。所谓人道主义的内容虽然广泛，但也可用一句话来总括：把人当做人。欧洲的人道主义思潮在十六七世纪勃兴，那是为了反对中世纪的专制主义。在现在又为了反对法西斯主义而重新现出光芒。对于我们，人道主义更是一柄值得宝贵的双锋的剑，一面用以批判封建文化的遗产，一面用以打击敌寇法西斯所灌输到中国来的奴化教育。

把人当做人，这是一句看来很平常的话，而且又像只是同语反复。但其实不然。第一个“人”字所指的不过是生理的人，但人们并不是常把具有直立的身体和双手双足的人当做是真正的人的——比如中世纪的地主心目中的农奴就不过是直立的牛马而已，在满清朝廷中，虽是文武大员，也是自认为没有自主力的奴才的。由此可见，“把人当做人”这句话中的后一个人字所意味着的乃是有独立的感觉，独立的意志，独立思想的人，这也就是说，不仅是过着生理的生活，而且过着精神的生活的人。由自己的感觉、意志和思想来决定自己的行为的人才算得是一个人，只是由别人的感觉、意志和思想来决定自己的行为的人就不能算是真正的人。所以“上命差遣，不由自主”，这是不把自己当做人的想法，“我说怎样，你就得怎样”，这是不把别人当做人的想法。

把自己当做人，就有了自由；把别人也当做人，就有了平等。——有自由，有平等，于是才能有民主。

也许有人说，这所谓把人当做人不过是个空想。他们以为，在历史中每一个时期，大多数下层的人民都是些愚民，这些愚民对于一切事情都是毫无认识的，对于自己的命运也是一无所知的，因此，对于他们，就只好客气一点，用命令来告诉他们如此这般，不客气一点，用皮鞭来指挥他们向东向西。

但真实的历史却否定了这种看法。我们固然不必否认，在历史上的多数时期，广大人民是并没有被当做人看待，没有过到真正人的生活。但是首先这是因为在权力压迫下造成的情况，（不是因为他们不是人，所以才被皮鞭驱使，而是因为被用皮鞭驱使，所以才失掉了做人的权利。）其次在历史中的某些变革的时期，“愚民”也仍会突发地自觉地行动起来，表示了他们毕竟还是人，而不是牛马。

假如民主不是空想，那么把人当做人也决不是空想。民主思想的根本前提是承认我与旁人同样都是除了有能走路的腿，能做事的手以外，更有能有所感的“心”和能有所思的头脑。固然人的知力有高低，人的知识程度有高下，这在现实中还是不能否认的，但没有人是生来无智力，只配无知识，不能有所知的。民主社会的设施正是要在消极方面，不用任何的权力或教义来压制人的感情，范围人的思想，限制人的知识，在积极方面，要把知识的门向一切人打开，使每个人的感情、思想、意志得到自由的发展，使每个人都能由自己的判断决定自己的行为。

《三民主义》半月刊二卷十二期中刊载了一篇从《自由法国》杂志上译出的论文，其中说："希特勒在《我的奋斗》里，常以菲薄的辞句，鄙视民众，称他们缺乏判断力，知识水准低弱，轻信盲从，没有脱离原始时代的性情。"又说："在希特勒夺取政权以后，他即在党员中间，散布这个口号：'你们尽管发财"，他用两根锁链，使他们互相捆住，又使他们和自己联系。第一根锁链就是忠实。第二根锁链就是同恶。"——由这个说明，我们可以看出，法西斯统治者不仅不把民众看做人，而只看做是愚蠢的牛马；而且也不把自己的党羽看做人，而只看做是贪婪的狼犬，所以这篇论文的原来题目是"专制统治与蔑视人道"（译文改题为"人的兽性时代"），原作者且加以说明道："原来专制统治与蔑视人道，本是具有连带关系，决不是在我们这个时代才如此的，因为只有专制时代，才带着凶狠残酷的形式，表露那些蔑视人道的事实；亦唯有在人的价值完全丧失的时候，才容许统治者唆使一班残忍的恶奴，任意荼毒生灵。"

现在，我们既站在反法西斯的战线中间，而在自己的民族生活的历史上，又曾长期地经过各种各样的独裁政治的专制时代，那么，就更不能不强调人的尊严，人道主义的精神。因此就必须反对任何"蔑视人道"，不把人当人看的思想和事实。

在封建社会的等级制中，大多数人民都被排斥在受教育的圈子以外，因为大多数人民被认为是不可能有知识的；但在民主社会中，却要实行普及的国民教育，那便是因为民主社会把一切人看做是在知识上有着平等地位的，都能独立的思考，都能有知识。在封建社会的思想统制下，纵使对于受教育的人，也只容许他们在一定的圈子内思想，（欧洲中世纪是宗教的教义，中国古代是圣经贤传。）不仅不能有越轨的思想，而且连对这种权威思想有所怀疑，想一下它到底对不对也不许可。这在实质上正是虐杀了思想的权利。但在民主社会中，这种情形也是不许可的了。在民主社会中必须让人人能由怀疑、探索、思想、研究，然后得到一定的信仰。所以假如有人问，“我们只先跟着他人信仰，然后慢慢了解，也许终身不能了解，你们想想我这样讲对不对？”[1]那么我们必须回答，这样讲是根本不对的。

不了解而信仰，这就是盲目的信仰。只有宗教的教条，法西斯的思想，才要求人不去了解，只去信仰，因为他们那一套根本不成为思想，人们倘以清醒的理智去接近，就一定会掉头而去。一种站得住的思想，就一定不怕人家来怀疑，来了解，也一定是人人所能了解的。假如以为在社会中只有一小部分的人能够了解，其余大多数人都是不能够了解，只能跟着别人去信仰、去干，那就是把这大多数人排斥到人的地位以外去了。这大多数人岂不和那终身不能有什么了解，但辛辛苦苦跟着人去犁田拉车的动物一样么？唐僧往西天取经，历尽千辛万苦，那是因为他先已对佛法有所了解，而去追求更多

[1] 见梁寒操:《由思想到信仰》(《中国青年》八卷五期)。以为人类分为三品，第一品，第二品的人是先有思想而后信仰，第三品的人却只能先有信仰。

的了解，而那猴子、猪却是对佛法并无所了解，只是跟着唐僧信仰的。但是西游记毕竟还预约了这猴子和猪将来到了西天之后也能成正果，现在假如大多数人跟着别人干了一辈子，最后还是“终身不能了解”，那岂不是太可怜了么？

固然，我们不必否认，因为原有的知识程度的高下，人们对事物的了解程度也有高低，而能够独立地创造出完整的思想体系的人常只是个别的天才。但这些人的创造工作也并不是什么神秘的工作。他们还是总结了某些前人的经验和思想成果，经过自己毕生的辛垦的探索研究而完成的。而这完成了的思想，对于旁的人，纵是下愚，也仍是可以完全了解的。只有法西斯主义者，才把希特勒之创造他的“理论”，描写做是一种直觉的神秘的过程，使旁的人只可能在他前面顶礼膜拜信仰，却永不能加以任何怀疑，也不能了解。但是我们却永远要反对任何一个人，在自己没有了解的时候，先去信仰。以为旁人不能了解，只能跟着自己信仰，这是不把旁人当做人；自己不去求了解，先去跟着旁人信仰，那是不把自己当做人。

假如有人对于马列主义的思想毫无了解，只是因为旁人信仰了马列主义所以也去信仰，那么我就想劝他且慢信仰，你不妨先去想一下，假如用你自己的头脑判定马列主义是对的，你再信仰也不迟。对于旁的主义也是同样。

我们绝不以为社会中只有一部分人有思想的能力和权利，而旁的人却根本没有思想，只能盲目地信仰，跟着干。因为假如我们这样想法，我们就不能在反对法西斯的战争中，建立思想上的反法西斯阵线。

让我们再引用《三民主义》半月刊中所译载的那篇论文中的一段话来做结论。

> 我们必须肯定人人有一个灵性，一个精神。这样，人类始能树立它的尊严，要求人人加以尊重，这是未来世界首应注意的主要条件。必须如此，才能使那些不甘心做行政机关的工具，不愿意在疯狂的人群里做参加分子的，和不屑与从事侵略的“优秀分子”为伍的善良人类，可以生存于大战以后的世界。

人人均应依照他对于本身的认识，勉力完成他对于文明应负的任务，既不肯自认为禽兽，又不甘自暴自弃，沦于禽兽，有了这种觉悟，自能实践道德行为。等到希特勒主义崩溃以后，这个蔑视人道的时代，也就从此结束了。

四　人的觉醒

每个人都有思想的能力和权利，都可能从独立的思想中作是非的判断。承认这点，并不否定教育的作用。

既然人的知识程度有高低，智慧年龄更不会没有长幼，当然就要以先知觉后知，以先觉觉后觉。

但在这里，我们不能不注意到教育上的注入式与启发式的差别。

我没有专门研究过教育学，但我想，注入式与启发式的差别显然不只是教育方式上的问题，这里表现着教育上的两种根本不同的精神，前者是代表专制主义的，后者是代表民主主义的。

在专制主义的精神下，个人的思想能力和权利既被排斥，应该思想什么，怎样思想，都早已规定好了。那么所谓教育当然就不过是把既定的结论，像填鸭似地灌注到受教者的脑子里去，假使不接受，那就要用戒尺，使这种他所应该有的思想，通过那打肿打烂了的皮肤，透到他的五脏六腑里边去。所以在中国旧社会里，塾师的工作，不过是使学生能把四书的白文和朱子的集注滚瓜烂熟地背诵下去，塾师的手里从不缺少体罚的刑具，——这不能只说是所用的教育方式的错误，而应该指出，这种教育方式恰恰符合于那种教育的精神。

我们也不否认中国古代也有些好的符合于民主精神的思想，但那并没有成为普遍的国民教育的方针，而真正的国民教育是只能产生在承认个个人有独立思想的能力的民主社会中的。从民主的精神出发，教育的功能就是启发学生的思想能力和思想，帮助学生独立地进行对各种问题的思考，帮助他们得到正确的结论。——于是在教育方法上就自然要废弃体罚，就自然要以活泼的启发代替强迫的注入了。

至于德意法西斯所施行的教育，纵然也从欧洲三百年来的民主教育的成果中偷取一些方法，在教育中似乎夹着启发的成分，但实际上，他们所要达到的目的却仍不过是要把既定的结论一成不变地注入到学生的脑中，使他们相信亚利安民族是最优秀的民族，犹太人是万恶不赦的种族，法西斯主义是比自由主义共产主义更为进步的主义等等，而在进行教育之际，仍在需要时，用出比戒尺更为严厉的体罚手段，——其原因，自然是在于法西斯教育的根本精神就是反民主的，不是为了发扬青年的思想能力而是为了虐杀青年的思想能力。

中国的新教育理论，一般的都是反对体罚的，都是反对注入式而主张启发式的，那么我想，我们也应该不仅从事教育方式上的改革，而要进一步看到，这是教育上的根本精神的改革。我们要看到，新教育之所以不要采用体罚，不是因为体罚容易引起学生反感，更是因为我们要尊重青年学生的人格，而独立自尊的人格正是民主主义所需要的，不要采用注入式，也不只是因为这种方式过于呆板，更是因为这种方式不足以启发自由的思想，而自由的思想乃是民主主义所需要的。假如不从教育上的基本的民主精神着想，则纵在教育方式上有所改革，我们仍是会恋恋于被抛弃了的方式，或者会去研究如何在不用体罚的情形下得到体罚教育所能收到的同样效果，研究如何在表面上采用启发式的方法，实际上仍能得到与注入式同样的效果。

但我们却听到这种说法："体罚已成过去的事，现在既不赞成施用体罚，或减至最低程度，训练人的人就必须有较大的机敏以控制受训人的行为。"而且又说："教员或训导的权威必须尊敬，服从与遵守规则必须执行，如果必须用惩罚，惩罚可以立刻随之而来。""人格训练有两种情形，一种情形是学生对于权威的默认，第二种是更巧妙，更有力量，更偏于精神方面，还是从各种活动中实施训练，而不暴露教员管理与支配的迹象。"等等[1]。这些说法实应受到批判，假如在教育上的着眼点依然是在惩罚，控制，权威，支配，那就是把新教育的根本精神加以逆转的歪曲了。

专制主义的教育只能造成奴才，德意日法西斯国家就是这样做的；民主主义的教育才能养成真正的人，反法西斯国家必须这样做。因为在一群奴才中是不能建立民主政治的，在民主政治下的全民教育就是承认与发展

[1] 孟镜清：《论训练》(《文化先锋》二卷十一期)。

全体人民的人格，因为承认所有的人民都是独立自尊有自主能力的人，所以在政治上也就要实现全民的民主政治。

中山先生说："近世各国民权制度往往为资产阶级所专有，适成为压迫平民之工具，若国民党之民权主义，则为一般平民所共有，非少数所得而私有也。"（《国民党第一次全国代表大会宣言》）蒋委员长在《实行宪政的程序与步骤》的演说中也表示："民权主义的最终目的，就是实现民主政治。一国的人民不能参加政治的话，他们就不能造成强盛的国家，所以，世界上最有力量巩固的政治，一定是建筑在民意之上，一定是以人民之利害为利害，以人民的视听为视听，总理的民权思想，是造成一个民有、民治、民享的国家。"——这些话都是非常切要的。

然而我们却看到萨孟武先生的一篇论文，在其根本精神上是和这些说法相反的。[1] 他的文章一开头就说："三权宪法是民主政治的产物，五权宪法是以民权主义为基础，我们要知道五权宪法与三权宪法的区别，

[1] 萨孟武:《五权宪法和三权宪法》(《三民主义》半月刊三卷一期)。

须先知道民权主义与民主政治有何不同之处。”但是上引蒋委员长的话中也承认民权主义就是要实现民主政治，那么，来区别民权主义与民主政治有何意义？假如这所说的民主政治是指欧美资本主义国家中现行的民主制度，那么这问题中山先生已经早已清清楚楚地回答了：“用我们的民权主义把中国改造成一个全民政治的民国，要驾乎欧美之上。”但萨孟武先生显然是对这答案不满意，所以他既否认民权主义之为革命人权以与天赋人权说相区别，也否认民权主义之为直接民权以与间接民权相区别，更反对民权主义之为全民政治以与资产阶级的民主相区别，他说：“民主政治固然不是全民政治，而却步步接近于全民政治。所以我们若以全民政治为民权主义的特质，而与民主政治相对立，实为一种独断论。”

固然我们从这几句话看来，萨先生的意思，似乎是说：“民主政治”也近于全民政治，和民权主义一样，这也就是说民权主义之为“全民政治”，正如欧美所实行的民主政治一样。那么，这已经是歪曲了民权主义的创始人的意见了。并且，更进一步，我们可以看出，萨先生的真意其实是说："民主政治"接近于全民政治，民权主义反而并不是全民政治。他认为，民权主义和民主政治的根本区别是在于民权主义"对于选举权与被选举权，设置了特别的限制"。我们知道，选举权与被选举权是民主政治下人民的基本的政治权利之一，既加以特别限制，当然决不是全民政治了。

照中山先生的意思，选举权与被选举权是否有所限制呢？确也是有的。那就是第一次全国代表大会宣言中所说的"革命的人权决不轻授于反革命的军阀"。这种限制正是革命人权的光辉，而无碍于其为全民的民主政治。但是萨孟武先生主张的限制，其出发点却是："人类固然都有利己心，但是什么才是自己真正的利益，大部分不知不觉的人固然不会知道；次少数后知后觉的人也未必就能认识，其能明白事理，判别利害，只唯极少数先知先觉之士。"于是又说："大部分的人都是不知不觉，他们不但不能认识谁能代表自己的利益，而且不能知道谁能代表自己的利益。"因此这"大部分的人"既不能有选举权，也不能有被选举权。这种"学说"实在是非常大胆的创造。固然先知先觉，后知后觉的区别是中山先生所说的，但是其原意只在说明各人才智的不同而对于国家文明，政治生活的贡献各有不同，却并没有用来作为根本的民主权利的限制标准，否则中山先生怎么会主张人民可以普遍地直接行使选举、罢免、创制、复决四权呢？

萨孟武先生既曲解了中山先生的全民政治的思想，把“大部分的人”都看做是连自己的利益也不明白的蠢货，都要排斥到政治权利以外，因此他自己也不能不觉得，“这种方法乍看之下，甚似有反于民治精神”了，而在我们看来，这不仅是似乎反于民治精神，而且根本就是和“民治精神”背道而驰的。

中山先生的民主政治的主张其实是非常明白辉煌的。比如他又曾说：“美国前总统的主义也有与兄弟底三民主义相会的地方，其原文为：The government of the people，by the people，for the people这句话苦没有相当的译文。兄弟把他译作‘民有’，‘民治’，‘民享’，他这‘民有’‘民治’‘民享’主义就是兄弟的‘民族’，‘民权’，‘民生’主义。”而在前引的蒋委员长的演说也不曾否认：“总理的民权思想，是造成一个民有，民治，民享的国家。”这些说法也显然和萨孟武先生的新主张根本冲突。萨先生居然大胆地说：“民权主义乃如A.Zimmern所言——不是林肯所说，Government of the people，for the people，by the people，而是若林肯另外所说，Government of all the people some of the time，and of some of the people all the time。”于是萨先生就把中山先生所说，连小学生也知道的，关于民权政治的意义根本推翻了。固然，林肯因为是在初期资产阶级革命时代的人物，所以他虽有全民的民有、民治、民享的理想，但在实际的政治中所做到的仍只能是一种代议制，——“政府只在有些时候属于全体的人民，而经常地则只是属于少数的人”。中山先生之所以赞赏林肯，正是赞赏他的理想，而中山先生之所以伟大，就在于他要用三民主义的具体办法来实现林肯所没有能彻底实现的理想。但现在萨孟武先生却把中山先生的主张不仅从林肯的理想拉后到资产阶级的实际政治，而且甚至还要拉后一点，因为林肯所说“政府在有些时候，属于全体的人民”，这正是说，在举行普选的时候，但萨孟武先生却把“大多数的人”都排斥到选举权以外，那就是说，政治永远也不属于全体的人民了。

由这里，也可看出，假如根本的观点是轻视人民，根本的精神是否定人民的自觉的能力和权利，那么在理论和实际上是会达到何等可怕的地步！

一九四三年六月到八月写

这就算是批评么？

近来在好些刊物中常常可以读到“批评”马克思的思想学说的文章。本来，只要是真正学术研究，总是有益的事，凡赞同马克思的思想学说的人也不应该拒绝考虑人们所提出的不同意见。但是一切学术批评在根本态度上总该遵守这起码的两条条件：

第一，要批评一个学说，首先对于这个学说本身总该了解得很清楚。你可以不同意这个学说，但你决没有权利把这学说的真实内容加以歪曲，改造，以达到你反对它的目的。在民主主义的生活中应该有互相尊重的精神，在学术研究上也同样。假如在批评一个学说时，故意把它描写成完全不是它本来的面目，那就根本失掉学术研究的态度了。

第二，批评一个学说时，假如自己并不是第一个批评者，那么就该看看以前人们怎样批评的，假如自己的批评并没有超出前人的范围，那就得看看对方有没有答复过；假如答复过，而自己仍不认为满意，当然再可提出批评，但也就一定得有新的更有力的意见提出。反之，倘若说来说去，还只把人家说过一千遍，而且还被一千遍驳倒了的话，再说第一千另一遍，其不知厌倦的精神纵可佩服，但和学术研究也就相差得太远了。

我虽不敢说，今日国内一切批评马克思的文章都有背于这二原则，但我所看到的这类文章，很遗憾的，不能不令人怀疑：这些文章究竟是出于学术研究的目的还是职业的目的呢?

在这里，我只把随时看到的这类议论引证一点出来给大家看看。我不愿意多加说明，因为这样的批评只要一和马克思自己写出的文句一比较，就已显得非常可笑了。用这样的态度来进行“批评”，则虽然是不同意马克思主义的人，只要他有忠实于学术的良心，也不能感到满意的。

一

先举一个歪曲马克思的最笨拙的例子。

有一位勇敢的“批评”者想证明马克思主义是“反理性与反理想”的政治学说。他说：马克思主义者“将马克思以前的社会主义思想家都认作乌托邦的社会主义，就因为他们头脑里充满了理性的成分”。他又抄引了恩格斯的两段批评乌托邦社会主义的文章和马克思的一段说明他的科学研究方法的文章。于是这批评者就努力使自己相信，马克思主义是主张在头脑里放逐掉理性成分的，所以马克思主义是“反理性”的。

但这个批评者的努力是徒然的。第一，他虽也引用了恩格斯说明社会主义从空想到科学的发展的书中文句，但他并没有读懂这本书。在这本书中，恩格斯并没有一句话是说因为乌托邦社会主义者“头脑里充满了理性”，所以应该反对，他说的倒是：“我们所极其喜悦的却是能享用最初社会主义者天才思想的萌芽，这些思想在幻想的外壳之下，散布于他们的著作之中，可是俗物却瞎着眼看不见这些。”这些空想主义者敢于把一切既成制度摆到“理性的审判台”前来，并想建立一个“理性及永恒的王国”，正是恩格斯的书中称道不置的。恩格斯批评他们只是因为他们“不懂得阐明在实本主义中雇佣奴役制的本质，不能发现资本主义社会的发展法则，也找不出能变成为新社会创造者的社会力量”，因而也不能指示出实际的出路来实现“理性的王国”。因此社会主义才有从“空想的”改造成“科学”的必要。——这些其实都已是常识问题了，我们也犯不着因为“批评者”不懂而多所申说。其次，这个批评者居然想从马克思学说是一种科学，由而证明马克思学说是反理性的。他说：“反理性的成分，构成马克思主义所谓‘科学的’特质。”——这个奇怪的说法恰恰表现了这个批评者的脑子里，代替了理性，是有着何等混乱的东西！关于这点，倒还值得我们来多说两句话。

原来西欧的资产阶级学者也曾“批评”说，马克思主义是不含“伦理判断”的。这意思是说：马克思主义只说明社会的现在和将来是如何如何的，而并不去判断社会应当如何如何。这个“批评”显然不足以伤害马克思主义。因为马克思主义是指出，社会并不因为人们以为应当如何便如何，它是遵循着自己的法则而进行的。所以我们第一步先要用科学的方法来了解社会到底是怎样发展的，而在了解了以后，人们也就知道了应当如何努力来推进社会发展，这种“应当”才会变成现实。所以马克思主义是把所谓“伦理判断”和科学判断结合在一起，假如它一点也没有“伦理判断”的意义，并没有指示人们应当做些什么，倒也不会引起资产者那样的反对了。西欧资产阶级学者倒并不真是不懂得马克思主义的意义，其所以提出这点批评却是因为他们所认为应当的，被马克思主义的科学分析所否定了。他们认为，社会应当不变，而马克思主义却指出社会是要变的，并应当努力使它变。但我们的“批评者”却在抄袭了这些话后，表明了他不但不懂马克思，也不懂“批评”马克思的西欧资产阶级学者，所以他竟由此得到了结论说：马克思主义是“科学的”，所以是“非伦理的”，也就证明它是“反理性”的了。在低能的程度上，也的确“青出于蓝而胜于蓝”的。——可是你既然“批评”马克思主义因为是科学，所以是“反理性”的，那岂不恰恰证明了你自己所主张的“理性”是反科学的么？

在今天的现实世界中，科学与反科学，理性与反理性正是分别民主与法西斯的标准。科学的分析说明了世界趋势是向民主主义的彻底胜利前进的，但法西斯主义者不顾这些，偏要胡作乱为，因此法西斯主义也就不得不反对清醒的，正视现实的理性主义而提倡盲目的信仰主义了。这就是法西斯主义的反理性、反科学的特性。相反的，民主主义者，就以理性与科学作为斗争的武器，他们在理性主义的精神下发扬科学，在科学的基础上建立理性。理性与科学正是二位一体的。在人类对于社会的科学了解还不充分的时候，他们的理性不得不蒙着“幻想的空壳”。那就是伟大的空想社会主义者。而在已经有了充分的科学了解以后，却坚决加以排斥，并主张理性是反科学的，那岂不表明他的头脑中有着的正是法西斯主义者的“理性”么？那不也就是挂着“理性”的招牌的反理性么？

此地所以把这问题说得很多者，倒还不是因为这个“批评”者侮蔑了马克思的思想，（假如理性照这位先生所了解就是反科学的意义的话，那么马克思主义正以“反理性”为荣）而是因为他也侮蔑了孙中山的思想。

他在“批评”了马克思主义以后，接着说：“三民主义并不需要假科学之名以行，主义自主义，科学自科学。”这是把三民主义解释做是与科学无关的一种思想，是不根据科学的一种思想，是只有“理性”而没有一点科学成分的思想。这是何等可怕的说法啊。可是这位批评者居然还是很厚的一大本阐述三民主义学说的著者，而三民主义者中尚未见有人出而批评此种谬说，所以我们就不得不多说几句了。

二

要“批评”马克思主义当然就不能不接触到唯物论和辩证法。

唯物论本不是专属于马克思主义的思想，但能推翻唯物论，当然也就把马克思主义的基础掘空了。请看他们怎样反对“唯物论”。

有人想根本否定宇宙间物质的存在，他们说，物质归根结底还是心。支持这见解，不外乎再去搬运一些从主观感觉论以至新康德学派的腐朽理论。但一经抄袭，不免每下愈况。所以为了证明“物之极为心”，甚至作了这样可笑的议论：“例如一种花从开至放，历时三日，而花之面积盈寸，如将此盈寸之花，放大之于银幕之上，而将其三日过程加以缩短于一秒钟演出之，则见此花勃然怒放，生意欣然，向之见其纯为物质者，今乃见其有精神。”——这位先生的哲学原来不过是从电影摄影师那里学来的。

马克思主义更把唯物论运用到历史上去。在这方面，“批评”者以为他们找到好的进攻点了。但可惜他们所能使用的武器也都已是上了锈。像把历史的唯物论解释做是幼稚单纯的技术决定论，从而取笑之的方法那已经不值识者一顾，因为马克思所说社会发展的决定动因是物质生活中的生产方法，而生产方法（生产力与生产关系的结合）本不是单纯生产力，更不是生产技术。但“批评”者又说：马克思既把物质生活当做精神生活的决定因素，那么就可见得马克思根本否定历史发展过程中的精神力量——人的主观力量。“批评者”很兴奋地以为在这里的确就是马克思的致命伤了。他们说，假如马克思主义承认他否定精神作用，那么可见他主张的不过是腐败的物质的享受生活，可见他是根本否定人在历史中的主动性的，而假如马克思主义不承认他否定精神作用，这又和他的唯物论体系矛盾，就可证明唯物论和历史的唯物论根本站不住了。——前举那位“批评”者说马克思是“反理性”，其意也就是说他否定了主观力量，而法西斯主义的哲学基础正在于否定客观事物的规律，只从主观的意志出发来盲目地强调主观力量。答复这种“批评”，其实还不必马克思主义，因为从培根以来的自然科学家已经懂得了只有服从自然才能控制自然这个道理。随便找一个忠实于他的工作的医生，都能答复这些“批评”者认为马克思主义所不能通过的难关。医生在临床时，根据人这有机体的生理历程而进行医疗，在这点上他是唯物论者，他绝不相信他可以按照他主观的意志而进行医疗，但他也绝不以为自己的主观作用对病人无能为力。

马克思把唯物论从自然界发展运用到社会中，其基本原则并无不同。固然唯物论思想也有低级的，它完全忽视了人对客观的作用，但这不是马克思的思想。马克思批评过这种唯物论说：“以前的一切唯物论——包括费尔巴赫的唯物论在内——之重大缺点，就在这种唯物论只在客观的或直观的形式之下，去把握对象，却不是看做人的感觉行为，不看做实践，不是主观地去把握。”并且说，这种唯物论是“认为人是环境和教育的产物，因此人的改变是环境和教育的改变之结果，却忘记了正是人来改变环境，而教育者自己也要受教育”。（均见《费尔巴赫论纲》）马克思把唯物论和辩证法结合起来，正是要克服那种旧唯物论的偏向。史的唯物论不是取消人的精神活动，而是给人的精神活动作了恰当的说明，并且因为史的唯物论把人类社会发展的规律揭露出来了的原故，便更加强了人对社会的主观作用和控制的能力，正如同自然科学把自然现象的发展法则揭露出来，便更加强了人对自然的主观作用和控制能力一样。

以为承认人的主观作用便是否定了唯物论，这更是可笑的见解。唯心论和唯物论的区别并不是在一个承认主观作用，一个不承认主观作用。恩格斯说得好：“人的行为，必须经过人的头脑，——这是事实上所必然的。外界对于人的作用先及于头脑中，在其中反映成感情、思想、冲动、意志，总而言之即‘心潮’，在这个形式之下便成为‘心力’。如果一个人追随‘心潮’的发展并承认‘心力’的影响，就算是一个唯心论者，那么无论那一个人，都算生下地来就是唯心论者，如此何以世界上又有唯物论者呢？”（《费尔巴赫论》）原来唯物论与唯心论的差别本不在此，而是在于对精神与物质的先后和依存的关系的看法上。一个唯物论者承认了物质是先于精神而存在，并且精神是物质的反映，而人的主观行为只有在符合于客观实际的发展趋势时才能够发挥真实的作用，那么他丝毫不必取消人对环境的能动力量。

“批评”者认为主张唯物论便是精神生活的堕落，这不仅是对于马克思的侮辱，也是对一切唯物论者的侮辱。恩格斯曾驳斥过这种论调说：“如果有一个为追求‘真理与正义的热忱’（就这一句话的最好意义来说）而牺牲自己的性命，那就是狄德禄。”又不客气地揭穿说：“法利赛人（伪君子），听见唯物论者这个名词，便以为这就是饕餮、酗酒、纵欲、爱财、贪婪、吝啬、舞弊、欺诈，总而言之，即是他们自己在秘密中进行的一切无耻的罪恶。”（见同上）他们把自己所犯的一切罪恶，不顾对方到底是怎样的主张，怎样的人，一古脑儿加上去，从而使自己感到的确比对方高尚；这就是唯物论卑劣的反对者已经使用了一千次，一万次的老方法。但是想用这样的论证来推翻唯物论，其不自量力岂非是更有过于“蜉蝣撼大树”么？所以另一位挺身出来批评马克思主义的先生就在这一点上，懂得了藏拙乃是聪敏的办法。他说：“唯心，唯物，哲学史上互驳几千年，毫无结果，再驳也不易加多，不驳也不必加少。（那七字实在不通，但我们也不必于此苛求了。——引者）只插一句，‘我也不是绝对唯心主义者。’这也够态度明白了。”但他只能说出自己不是什么，而说不出自己到底是什么，恐怕他自己对自己还不“够明白”吧？

三

但这位“不是绝对唯心主义者”的先生却很有自信，要在反辩证法的战线上露一露身手。他对辩证法的批评是：“马克思等不讲辩证法则已，讲之，就不能不承认相对了。假使承认相对论，何以又要绝对唯物？……何以又讲绝对的必然性？……”这样的说明相对与绝对，只是他的杜撰，马克思自己和任何马克思主义者都从未如此说过，还亏他有脸说：“我知道辩证法是从绝对的基础上去观察相对，而克服两者间的鸿沟。”但对于这个公开表示接受意大利法西斯的“行业组合的精神与制度”的人，我们本来也不必要求较高于胡扯的什么议论。值得我们来提一下的是这个“批评”者还有一层意思，虽然也许因为他文字能力较差，不大能表情达意的原故，而说得不甚清楚。那是说：既然辩证法是讲“相对中的绝对”，那么也未尝不可以把它“趋中的运用”，使之归化于传统的中庸主义，那就可以使得这“可怕”的辩证法变成温驯的奴才了。

这一点也正是别的有些“批评”者所采取的方法。既然辩证法反对不了，何不就把辩证法拿来照自己的口味改造一下？这，正像庄子所说的，大盗在打不开箱子的时候，就连箱子一起搬运去一样。不过大盗所要的还是箱中的财物，而他们所要的只是一空壳。本来，辩证法也并没有盖着“马记”的印章，在哲学史上有诡辩论的辩证法，有主观唯心论的辩证法，有客观唯心论的辩证法。最后就有唯物论的辩证法。辩证法之所以成为一个有力的武器，乃是因为它和唯物论相结合了的原故，当二者一旦结合了的时候，辩证法就不再是可以听任主观的愿望而随意“运用”的了。你要把辩证法拉出来自由“运用”，那不过是使辩证法的生命绝灭，使它和你自己一起堕落罢了。但你既没有权利冒用马克思主义的招牌，也对马克思主义毫无损害。假如以为这样一来就算打倒了马克思主义，那不过是可笑的阿 Q 而已。

不过就在反辩证法中，也有不明了这种偷天换日的“策略”而起来反对的。如有一位先生说：“不料近来在学术界中亦有人用辩证法来解释三民主义的，说：‘辩证法与三民主义极有相同之处，真能合辩证法者，亦唯有三民主义。’我对于这种说法，无论他的动机如何，认为均无成立的理由。这种新奇的说法，如出普通人的口中，原可付之一笑，但出于‘学者’之口，我们认为影响很大，不能不提出讨论。”在这一段话中，除了对所谓“学者”不免估价过高一点（何尝有什么大影响？何尝不可付之一笑？）以外，其余我们也可同意。至于这位说话的先生自己对于马克思主义的辩证法的“批评”也还值得一说，因为也可代表一种“批评”方面。

这种“批评”把辩证法描写做是从先验的范畴与法则出发的演绎方法。比如这位“批评”者就说：“马氏的理论是由一个固定的公式演绎出来，所以理论的间架，十分整齐，……他们先要承认自然界有一个客观的辩证历程 dialectic process 的存在，而后在思维方面才可以运用这个辩证法去理解，先假定自然界有这个辩证程序，然后从这个自然程序推演出历史程序，从自然法则推演出历史法则，然后天人一贯，有源有本，才能构成一套形色完备的理论。”这“马氏的理论”和方法的描写，只要稍读过一两本马氏的书，而不故意加以歪曲，就显然可以看出完全出于捏造了。这段描写用来说明黑格尔的辩证法还有点近似，但用于马克思的辩证法却完全不合。“批评”者力说马克思的辩证法只是从黑格尔抄来的也是枉然。因为马克思自己已经说过：“我的辩证法不仅在根本上和黑格尔的辩证法不同，且正相反对。在黑格尔，思维过程，——他给它以‘观念’的名称，把它转化为一个独立的主体——是现实之创造主；现实仅为思维过程之外部现象。但在我，观念界不过是移植在并翻译在人类头脑里的物质界。”（《资本论》第一卷

“序”）所以马克思的辩证的方法，正和这些“批评”者所想像的相反，是从具体的现实出发，搜集材料，分析研究，然后对于现实的运动，给以法则性的说明。

“批评”者从何处来证明马克思是由预先规定的固定的公式来说明现实的呢？显然他是找不出证明的。他只好说：“恩格斯一派人对于麦的产生，小鸡的破壳而出，亦不肯轻易放过，说这些生物都是根据自然界的辩证法则而产生的。”好的，就看恩格斯。这里所说的麦子的例，大家知道，是出于《反杜林论》一书中。但这位批评者假如真读过《反杜林论》，而还敢如此大言不惭，就未免太厚颜了。原来恰恰就在引证麦子等的例的那一章上，恩格斯是那样切实地给了杜林一顿教训，因为杜林对马克思的辩证法的歪曲方法，正是我们这些“批评”者的洋祖宗。

杜林比我们的“批评”者还是高明一点，他究竟还看过《资本论》。所以他能更巧妙的引证歪曲说，马克思在说明资本主义的发展过程时，只是从“否定之否定”这一个预定的法则而演绎出来的。但事实上是如何呢？却正如恩格斯所回答：“当马克思把这过程形容为否定之否定时，他并不是用‘否定之否定”来证明这过程的历史必然性；相反的，他先在历史上证明，这过程一部分已经在事实上完成，一部分一定将要完成，以后，他更指出这是循着辩证法则而完成的过程。”很明显的，一切真正马克思主义者从来不用辩证法则来证明什么东西，而是指明现实的发展过程中的辩证法则。恩格斯之举出麦子的例子的时候，还特别说明：“我们只证明，否定之否定，实际上发生于动物及植物的两个有机界中。”他似乎已预见到后世也会有人来歪曲他举例的意义，所以才准备下这句话；但是他没有预料到有一等“批评”者连他们的话也看不懂，或根本不打算看懂！

但我们也必须当真的说，对于马恩的辩证法的“批评”，今日的“批评”者不能超过杜林的范围，这也不能怪他们，因为除了反复说这些话以外，还有什么可说的呢？

总而言之，对辩证法的“批评”总不外乎这二者：或努力使它堕落为中庸主义，从而加以利用，或竭力把它歪曲为先验的图式论，从而加以攻击。二说虽亦间或发生抵触，但是其为把辩证法和唯物论硬分离开来，喷以主观主义的污血则一。假如马克思主义的辩证法真是主观主义的产物，正如他的唯物论假如只是物质享受主义一样，还劳诸公绞尽简单的脑子来设想出种种说法加以“批评”，以至抛头露面，出了这许多丑么？

四

马克思学说还有政治经济学这一个重要的方面，职业的“批评”家们当然也不肯放弃在这一方面的出丑机会。但是知慧能力远比冒失的大胆落后，却是无可奈何的命运。比如有一位看来不过小学四年生程度的先生也来尝试一下“批评”马克思的剩余价值论，他说：“每一商品在生产过程中，虽然有由原料及补助材料之消耗而成为商品的新价值，更有机器及其他设备——生产工具之一部分消耗而转变为商品的新价值，但马克思以为这些转变，在新商品的量上没有变化，因之不会创造新商品的价值。”说来好像马克思是这样糊涂，竟不知道生产品的价值中也包含着生产时所消耗的原料和机器的价值。但实际上是怎样呢？原来马克思讲剩余价值时是在说明：新商品的价值中何以除了从原料机器及劳动力等所转移过来的价值外，还能有多出来的一些价值，成为利润的基础？至于原料机器等等价值当然又包含了生产原料机器的劳动力在内。你要反对马克思的剩余价值论，你就得说明这形成利润的“多出来的一些价值”从何而来？否则你就老老实实再去读几年书的好，说些常识以下的话有什么用呢？至于这批评者又认为，“在流通过程中，商品价格何以增减剩余价值量”，这是马克思所不懂的。但告诉这位“批评”者罢，马克思不但说明了价值如何变成市场价格，而且还说到剩余价值如何转化为社会平均利润，这些虽不是十分艰深的理论，但用小学生的脑子来理解却也不是很容易的事。

再举另一个自以为高明些的“批评”者出来看看吧，他说的是“确认资本家每月所付给雇工的工资是劳动力的合理代价，是不够的，是错误的。劳动是不能有盈余的。盈余价值乃取自工人工资的不足与工作时间的过长，而不是劳动的盈余。就工人寿命恒短促一事来说，即知劳动者不会有‘盈余劳动’以供资本家剥削了。”——这到底说了些什么话呢？第一，马克思从来没有证明工资是“够”的，“合理”的，他不过是说明劳动力的价值在资本主义生产中是如何决定的，正如他说明一切商品的价值是如何决定的一样。经济科学中的价值论的任务本是要说明各种商品价值是如何决定的，而不是主张，这些商品应当值多少钱。但这些“批评”者却以为他们可以自由主张一切商品的价值应当有多大，那不过是从非科举的立场来反对科学罢了。第二，所谓“盈余劳动”（剩余劳动）的出现，正是表明资本家不是按照工人劳动所生产的价值来偿付给工人，而只是根据工人劳动力的价值来偿付。因此在工人的全部劳动时间所转化成的价值中，有一部分相当于劳动力的价值，而另一部分则形成“盈余劳动”，而为“盈余价值”（剩余价值）的基础。“批评”者却俨乎其然地起来乱说，好像马克思所说的“盈余劳动”是因为工资“合理”的结果，或是因为工人身体健强的结果，那岂不是太急于要表明自己的无知了么？

但是这样的“批评”家还进而批评“帝国主义论”。我们实在佩服这些“批评”家的大胆。在法西斯帝国主义已经遭受着严重的内忧外患的时候，居然起来为帝国主义辩护，说帝国主义内部社会关系十分完美，说是“那些先进国的工业劳工只要不为失业所逼迫，都有成为中产阶级的可能”。可惜他还没有大胆到失业的可能都加以否定。我们更不能不佩服这些“批评”家的大胆，在中国进行对法西斯帝国主义抗战，除了自己努力以外，也要尽量争取各种外援的条件的配合（其中包括法西斯帝国主义内部人民大众的革命力量）的时候，居然说，“帝国主义国（此地当有漏字——引者）特征都建立在对弱小民族政治经济的侵略压迫剥削的基础上，而不建立在对其国内劳工剥削的基础上”，甚而公然说，“在日本这个新兴而疯狂的帝国主义国内，我们看不到所谓‘无产阶级革命’的运动”。——是的，一个脑筋因发热而糊涂了的人，是看不见什么真实的东西的。但是论者假如否定了日本国内人民大众对其统治者的政策反抗不满，从而爆发以日本无产阶级为中心力量的革命的可能，论者又将何以解释中国抗战中有和反战日本人民携手的必要呢？

所以这些“批评”家的大胆，虽然值得佩服，但是从大胆中不能产生“批评”，至少也还得更多有一点聪敏吧。对于这样幼稚可怜的“批评”，本来是置之一笑也就可以的，但是因为他们都冒用着孙中山先生的三民主义的招牌（但实际上却把三民主义解释成为科学的、反社会主义的），略略加以点穿，也自有其必要。至于像那更无聊的叶青，郑学稼之流的“议论”，我们在此地是提也不必提到的了。

三十二年九月十二日[1]

[1] 这一篇和下一篇文章中所引证而加以批评的文字，因为没有必要把出处一一注明，所以都从略了。

是圣人还是骗子
——论唯心论在实际中的表现

正如变戏法的人，在表面上总有一大套眩人耳目，动人视听的花言巧语装腔作势一样，唯心论的思想穿戴着庄严神圣的外衣，使不明底细的人看了，不由不肃然起敬，以为里面真有什么伟大高深的内容；而在实质上，唯心论的思想内容也不过是一种骗人的戏法！——也许我们可以说，这是一种高尚的戏法，是人类用来欺人自欺的最成功的方法的体系。但不论这种戏法是最“高尚”的，是最“成功”的，戏法终于是戏法，也就终于要被拆穿。

唯心论越到现代越堕落。在我们周围可以看到最下流的唯心论的代表。让我们单刀直入，从目前流行的某些议论中，指出唯心论思想在实际上的表现及其企图到底是什么。

一　唯心论哄骗我们远离实际

唯心论在其纯理论的形式上，虽然发挥为极其玄妙的理论，但运用到实际上时，却是什么问题也解决不了的。

为什么在这世界上发生了战争呢？唯心论者说，这是因为“观念和认识的错误，心理的狂妄而失常”的原故，因为“把达尔文物竞天择与马克思阶级斗争学说误用来进行斗争”的原故，所以“我们今天要消灭战争，就先要从清灭战争的思想着手”。为什么囤积居奇、营私舞弊、贪赃枉法的坏现象层出不穷，愈演愈烈呢？唯心论者说：“这是因为，许多人不懂战时社会生活怎样过法，所以一味憧憬于平时生活水准”的原故，是因为一般社会上，“不知有人情，不知有道义，不知有国家民族，数千年来，我国传统的美德为之沦胥以尽”的原故，所以“谈战后的建设，而不着重伦理的建设，这是无本的建设”。为什么中国现在在科学、社会组织、政治各方面比起欧美国家来都显得十分落后呢？唯心论者所给的答复及其所提出的主张也还是同样的。他们说：“我国现在人民科学技艺种种落后，根本原因，就是太不仁，假使我们四万万五千万人个个仁义，这就是天下无敌。”

这种种说法岂不是我们常常可以遇见的么？这些说法都装出了悲天悯人的怀抱，济世救人的姿态，但是其中所有的不过是一个最简单不过的原理，那就是一切缺陷，毛病都归之于人心太坏，因此认为要改进改革就得从“正人心”下手。

首先我们会发觉，这一切都只是无用的废话。假如我们不去实际考察战争的原因是什么，罪魁是谁，不去实际考察中国社会政治不能进步，腐朽势力仍能活动的原因是什么，那么我们就不会也不能发动实际的斗争来消灭战争，来促成进步。只是想以仁义道德的观念来灌输人心，这和宗教家祈祷和平岂非只能得到同样的效果？谁都知道，达尔文的物竞天择学说是从实际考察研究了生活发展史而得到的理论，马克思的阶级斗争学说，是从实际考察研究了人类社会的历史发展而得到的理论。这就是说先有物竞天择的事实，才有达尔文的学说；先有阶级斗争的事实，才有马克思的理论。但唯心论者却是反过来，认为人类之所以进行斗争是因为有了这些学说的原故，（请问生物界中之有生存竞争是否也因为误信了达尔文学说之故！）这显然是不顾事实的胡说，也是对科学理论的污蔑，同时也是阻止人们根据科学理论以进行实际的斗争。人们正是根据达尔文的学说才能够掌握生物发展的规律，而在利用厚生的目的下改良生活的品种；人们也正是根据马克思的科学学说，才能够掌握社会发展的规律，知道如何才能最后彻底消灭阶级斗争，消灭人类间一切形式的战争。倘若根据唯心论的空想，却是永远达不到任何实际的效果。

但是我们不能不进一步看出来，唯心论对于实际的改进改造不能发生作用，这正是唯心论者所企图达到的最大的作用。

既然把战争发生的原因归结于一般的人心太坏之故，而且更使那分析说明生物界与人类社会中的竞争斗争现象的科学理论来负造成战争的责任，那么在实际上发动和促成侵略战争的人和社会制度却反而可以逃避责任了。既然把社会上之所以发生种种不健全的病态，不能得到进步发展的原因，也都归结于人心不古，世风日下，那么在实际上在毒害着整个社会，束缚着人民大众的人和制度倒反而可以逃避责任了。倘若人们都相信了这种唯心论的说法，自然就不会去认真考察现实的社会，不去从实际中找寻一切罪恶产生的原因，也就找不出对于这些罪恶应该负责的人，而向之进行斗争了。——而这正是唯心论者所要求的作用！

这就是麻痹的作用。使人们沉溺在没有根据的空想之中不去注意现实，不去感应现实，不去思考现实。

这也就是欺驱作用。正如魔术师把一盆鲜花把一块包袱一盖，便在观众面前消失一样，唯心论者也想用他的“理论”做包袱，来使整个客观现实在人们的面前成为不存在的东西。所以我们说，唯心论其实是一种最大的欺人自欺的方法。

魔术师的花盆自然还是存在的，不过被他藏到别的地方去了；但整个客观现实却不是可以藏起来的东西。唯心论的戏法虽然神奇，但是其在观众前的收效，却又是连普通的魔术师都不如的。

二　唯心论为反动的主观愿望辩护，哄骗我们成为盲目无知的人

唯心论为了完成他们的魔术，一方面努力抹煞客观现实的存在，另一方面，更把主观意志的力量极度的夸大。正如一个手指摆在眼前，就可以遮掉整个山一样，唯心论者使人们相信，主观意志就是决定一切、创造一切的充足条件，也就更使得整个客观现实在人的心目中完全涂抹掉了。

唯心论者常批评唯物论是只顾客观现实，而否定人的主动作用。他们自以为只有根据唯心论，人才能够充分发挥主动作用，才能算是有意义的存在。而他们所说的人的主动作用是完全归结于愿望与意志的力量的。如说："人既为天地万物的心灵，当然人就是天地万物的主宰，人既为天地万物的主宰，当然人就是决定一切的力量。所以大之如邦国之安危，小之如个人之祸福，推究其因果关系，盖无不取决于当事者自己。""所以只有自己是决定一切的契机，只要自己能为，就能达到目的，而为乃任何人所能，并非什么难事，问题就仍在自己有

否如此决心而已。有自为决心，而其所生力量，必能超过一切，至于无限，尤其是政治上社会上的领导人物。”这段话中的“为”字也就是大众语中的“干”字的意思。其意义说得简单一点，就是，一个人只要有决心去干，就能够干，也就一定能达到目的，一切事情，大至国家大事，小至个人祸福，完全只是由决心的有没有来决定。这说法的荒谬是非常显著的。

决心——意志的力量，对于行为的成败固然也是一件重要的事。但是在有没有决心去干的问题以前，我们还不得不先问一下，干什么和怎样干。只有在行为的目标与方法正确的时候，决心有无才能有重要的意义。这个道理可以由每个人的生活经验中证明不烦多讲，尤其是在“大之如邦国的安危”的事上，更不能说是光凭一股主观的干劲就能成功。要决定干什么和怎样干的问题，不能拿主观的愿望当做出发点，必须认真了解客观现实的情况及其发展趋势才行。假如认为只要有决心去干，就能够产生无限的力量，能够决定一切客观的现实，这种说法除了自欺欺人以外，也是没有任何意义的。请这样狂妄的唯心论者告诉我们：为什么“天地万物的主宰”的人竟不能使地球运行的轨道稍微改变一下，为什么希特勒拿破仑终究不能不陷于失败？

首先，这种说法就是为那一切不合理的愿望，一切错误的行为作辩护。法西斯独裁者总是极度的推崇主观愿望的作用，在他们看来，“尤其是”（或只有）“政治社会上的领导人物”的决心能够产生“无限”的力量。他们以为社会历史的发展都应该顺从这少数人物的主观意志的力量，他们能够抵抗着人民大众的要求，对抗着世界民主的趋势而向前开辟他们的道路。他们使自己相信自己的意志真能有如此巨大的力量，那不过是自欺；他们更想用这种说法来麻痹人民对现实的认识，而顶礼膜拜于他们的“意志力量”之前，那实在是欺人的极致了。

历史上的一切独裁者，无不努力使自己和使旁人相信他们个人的意志与有使天地改容，风云变色的作用，但人民大众的力量与社会历史发展的规律终于纷碎了他们的意志力量，——这些教训难道人们还不应该仔细领会一番么？

其次，这种唯心论的说法正是使一切人成为盲目的行动者。我们反对盲目行动，也就是主张睁开眼睛看。睁开眼睛看什么呢？是去看客观的现实，看广大的人民，能够看到这些，我们的脑子才会主动思考起来，我们才能找到客观现实中的规律，我们的行为才会有正确的方向和方法。但是唯心论者却用一大套花言巧语，来恭维我们，说一切都决定于我们自己，我们要干什么，就可以干什么，只要随心所欲好了；而实际上，他们只是要使我们成为既不看，也不想，一味硬干实干苦干蛮干乱干的盲目的行动者。他们向我们预约了单凭主观的意志就有决定一切，改造一切的力量，但实际上却是企图使我们成为无知无识的，只能俯仰随人，听人差遣的糊涂虫。这难道还不是最大的欺骗手段么？

我们必须揭破这种唯心论的骗局。只有把这种骗局揭破之后，我们才能够真正理解并实现人在社会历史上的主动作用。

唯心论者批评唯物论绝对否定人的主观作用，那是无知的曲解。只有机械的唯物论才努力证明人只是在整个物质界中的一个从属分子，只能受客观现实的支配，不能有任何主动的作用。但这只是最低级的唯物论的看法，并不能代表历史上一切唯物论者的看法，更不能代表到现在已完成了辩证唯物论的学说。

辩证唯物论丝毫不忽视人的主动作用，并且能够认真地指出这种主动作用如何发生，又怎样才能充分加以发挥。

人在宇宙间并不是一个“心灵”，更没有“做天地万物的主宰”的权力。对于客观的实际而言，人乃是一个认识者与行动者。他凭借着感觉与思想的能力以认识客观实际，并且在生产劳动和社会革命中从事对客观现实的改造和创造。更多的实践活动使认识与理解更加正确，而更正确的认识和理解使得实践活动更有把握。只有服从实际（了解实际）才能改造实际，人对于客观事物的主动作用是只能从这里面产生的。对实际的了解结晶成为自然与社会历史的科学理论，这科学理论，反过来，就能指导人们去从事实践活动而发生巨大的作用。一种思想与理论之所以能具有巨大的作用，只因为它是对于客观的实际的正确说明，是从对客观的实践行动中产生，并且已为人们所普遍接受，而转化为人们的实际行动。唯心论的思想，只从个人的主观愿望出发，对于实际是不能起任何作用的。

由此可见，只有从唯物论的观点出发，我们才能使人的主动作用尽可能发挥到高度。假如我们不想成为狂妄的疯子，我们就不能不从实际出发，求得符合实际的工作方向和方法，然后我们在工作中所发挥的决心，毅力，意志力量，才是有价值的。

三　唯心论用道德的名义来掩盖最不道德的自私自利的行为

唯心论者又批评说：唯物论是反对道德的，它只能使人们在生活上堕落下去，而唯心论在生活中的实际表现就是高尚的道德，优美的品格，完善的人性等等。例如有人这样说：“信仰唯物论的人，是只知有物而不知有心，只知有物的价值而不知有心的价值。结果便逐物徇物，流连忘返，全神之所集中，毕生之所营求，均在物质上面，谋物质的积累和享受。……这只认物为真实而以心为物之副产品的见解，苟由思想而见诸行动，便会造成逐物徇物的局面，而纵欲主义和享乐主义也必随之而产生。须知物重要，而用物的心尤重要。只知唯物，而不知养心，这是主张唯物论的必有的结果。”

在这段话中，对于唯物论的曲解污秽，且暂搁下不提。我们先来指出在唯心论的基础上所宣扬的道德，实际上也只是一种骗局。

是的，在我们周围所看到的唯心论者都无不以道德的教条作为自己最雄厚的资本，假如唯心论在一切方面（宇宙论上，历史观上）都失败了，那么，至少在人生论上，——唯心论者自己以为——总还可以建立一个巩固的阵地，因为人类社会中所曾有过的一切对于人生行为的美好的字眼似乎都在给唯心论撑腰。但是可怜得很，这个最后阵地同样也已十分动摇。美好的字眼骗不了人，我们要看它的实质。

前面曾引举过有一位唯心论者认为只要“四万万五千万人个个仁义，这就天下无敌”的说法，这位先生可算是把仁义道德的功效捧上了天了。他又说：“庄子说，‘哀莫大于心死’，人心死了，简直不可救药。今日起死回生，首在明道，懂得道的功效，什么国防建设经济建设等等，按苏联三个五年计划比例，就是做到英美一样，也很不难。”这所谓道，据他自己解释，也就是道德，也就是仁义。但怎样获得道德，而道德怎样能发生这样意想不到的效力呢？经过程朱解释的所谓“大学之道，在明明德”这一套说法就被搬出来了。“明明德也就是致良知，致良知本属内心的存养，内心存养明了，外面表现的事实必定合理，因为外由内发，内以外应，吾人治学第一步根本就要明明德，根本为因，事实为果，所谓‘有其内必形诸外’，这个因果关联，就是一贯。”

用这一段话做例证，我们就可以看出，这种道德论是完全不从客观的实际出发，也不从实际行为的表现上来建立道德标准，而把道德当做完全是内心的天赋的良知；因此不是要求人们在实际的社会行为中，在人与人的社会关系上建立正确的合理的态度，而是要人们把自己封闭起来，从内心中来存心养性致良知，以为只要心一好，表现到外面的行为就能完全变好了。

这种说法有什么实际意义呢？

唯心的道德论固然标榜着大公无私的名目，但是其实这种道德论正是从最自私自利的立场出发的。假如道德行为的出发点就是用存心养性的方法来恢复天赋的良知，那么向外界去追求真理，从事实际的社会斗争，便成为没有意义的事了。厌恶真理，害怕社会斗争的人自然就觉得这种唯心的道德论是值得宣扬的了。对于他们自己，这种脱离实际的道德论恰恰正可以做一切最不道德的行为的掩护。在前面我们介绍的那位认唯物论即不道德的先生，他一面宣称唯物论因为重物就必然形成纵欲主义和享乐主义，一面又主张说："须知物重要，而用物的心尤重要。"由此可见，他们其实正是认定私欲与享乐确很重要，不过同时主张去"养"一下那到底不知在什么地方的"心"罢了。既然养心纯粹是"内在"的事，那么"内在"的"养心"对于"外在"的纵欲与享乐自然是一点妨碍也没有的了。事实上，眼前一切唯心的道德论者正是这样做着的。他们所干的纵然是最无情无义，无法无天的勾当，但既不自己感到惭愧，也不必害怕旁人的指摘，因为一切道德的美名都已被认为属于他们自己，而一切反道德的恶名都已加到他们的敌对者的身上去了。按照"外由内发"，"内以外应"的道理，这些宣扬道德的伪君子就使自己获得充分权利，拒绝人们根据他们的外在行为来给以道德评价，并且他们觉得，他们是有权利要求旁人承认他们在内心上已成为道德的代表人，因此也承认他们的一切外现的最荒淫无耻的行为也都是合情合理的。

从这种，岂不就是唯心的道德论的妙用么？它使人们在心灵中上升到最道德的境界，却丝毫也不妨碍他们在实际上用一切与他们的道德名义根本违背的手段来为自己获得愈多愈好的私利。由此也不难看出，他们虽把道德看做纯粹内在的东西，但其实道德只是他们的最外表的装饰而已。

我们固然承认，在过去的时代中，也曾产生过个别的唯心的道德论者，以自己的生命全部付托在自己所虚悬的道德标准之上，结果虽必然地归于失败，而这失败还可以说是洋溢着悲剧的意味，还值得后人凭吊的。然而就在历史上，这样的人也还是罕见仅有的。到了现在，从那唯心的道德论的阵营中所能产生的，更是除了喜剧人物以外，再没有别的什么了。正如屠夫宣传素食，掘墓人祝祷长寿一样，说着自己不相信也不能使人相信的话，又竭力自圆其说而又永不能自圆其说，现代的吴敬梓们是可以从他们那里取得用之不尽的素材的吧。

这样的人有什么资格来批评唯物论呢？唯物论并不是一般地反对道德的人，他所反对的是这种唯心的道德观念。唯物论者也决不打算宣扬任何道德教条以诉诸人的“良心”，但是唯物论者决不像那种曲解的批评所说的一样，沉溺在物质享受之中，根本否定主观的意识与精神的作用。——唯心论者把他们暗中偷偷摸摸地追求的东西（纵欲与享乐）看做是“物”的全部内容，因此他们加给唯物论的罪名不过是他们自己的意识的暴露而已。——恰恰相反，唯物论者因为是彻底照明了客观的现实界，所以便能够严格排斥一切以个人利益为中心的观念，更能够拿改造现实的态度来代替享乐的态度；唯物论者也比任何旁人看得更清楚，人们在改进现实的时候，同时也要改造自己，包括思想意识感情等等的改造在内。

唯心论者是脱离了外在的实践行为而空谈“内在”的心的修养，唯物论者却是把外在与内在辩证地联系在一处。我们从外在的实际与实践行为出发来充实和改造内在的精神，从而使内在的精神真正能表现为改造实际的实践行为。因此从修养上看，也只有站在唯物论的立场上，才能够真正做到内外如一，言行相符，所为与所行融洽无间的境地。当唯心论者，空谈着道德与正义，而实际上助长着人类心智的堕落的时候，也只有唯物论者坚持不屈地献身在伟大的革命行为中，追求着人类社会的更高的正义的实现，——这是从已往的整部文化史中可以得到证明，更是在现在一切真正的唯物论者用他们自己的血肉斗争在再度证明着的。

四 唯心论凭借迷信和权力来杀害理性，成为法西斯的帮凶

由以上所述，我们已可看出，唯心论在实际中的表现，是充分暴露出它的支离破碎的。唯心论虽然自命为高扬人类精神意识的作用，但终于不能不堕入对理性的反动中间。从唯心论思想的内部，常常会产生独断的教条主义，宗教迷信，把个别的“英雄”当做创造一切的力量的历史观念，这三者正是反理性主义的表现。从我们目前所看到的许多唯心论者的说教中，我们就可看出，他们是如何可怜地依附着这三种反理性主义的武器。

第一，关于独断的教条主义。唯心论者一面如前所

述，主张“外由内发”的看法，好像是主张人的心性可以自由发展，但脱离实际与实践的心性正如无根的草，如何能发展呢？所以在另一面，唯心论者又规定下某些道德的律令，当做心性发展的范围与行为的规则。这些道德的律令常以古圣先贤的传统为护符，而被解释做是从人类本性中自发产生的东西，也是人类社会中永远不变的绝对教条。唯心论者企图使这种道德律令成为人人必须遵守的强制力量，以巩固有利于这些唯心论者的阶级立场的社会秩序。道德的内发论转化为外在教条的强制，这虽然也自相矛盾，但正是唯心论的必然的发展途径，而其反动性也就更加表露无遗了。

在我们周围所看到的唯心论的独断教条主义，最具体地表现在复古论中。复古论的根本精神就在于把封建社会中的统治者所宣扬的某些道德规则当做永远不变的教条，而来束缚和限制现在社会中人民大众的理性与革命实践。他们用僵死的旧道德教条来反对随着社会生活的前进而出现的新的道德观念，如有一位先生说得很明白，他说：“作者认为今后道德的提倡，实不必提出什么新道德的口号，这是有损无益的事情。我们也不必去向西洋介绍什么新的德目。道德之为物，自其本身言，是无古今中外的区别的。”但事实上，并不是道德不变，——道德是不能不跟着社会生活的变迁而变迁的——而是这些唯心论者想用不变的道德教条来抹煞中外古今的社会生活的区别，阻止从落后的社会生活向进步的社会生活的变革。

第二，关于宗教迷信。唯心论者不仅断言社会的实际是完全被人的主观愿望所决定，而且为了确立这论点，更断言，一切自然物质内部都有着精神作用，整个宇宙间也有一个最大的精神作用支配着。这样，他们就和鬼神的迷信与宗教的信仰拉起手来了。现代的科学早已使万物有灵论完全崩溃了，所谓万物有灵论，在人类文化史上，原是肇始于原始人类因为无力理解自然界的变动现象而虚构出来的幻想，而又成为后来一切当做人民的鸦片的宗教信仰所竭力支持的一种说法。到了现在，假如还想凭借这种说法来建立唯心论的说教，那是除证明其思想的堕落以外再也没有旁的意义了。

唯心论者之所以公开走进宗教迷信的领域中去，其目的和提出复古主张自然是同样的。上举那位排斥新道德的人，在他同一篇文章中就说：“我们应扶助现有的宗教，宗教和道德实有密切的关系。社会道德的维持实际上多得力于宗教。……宗教虽免不了迷信的成分，然是人类情感上所免不了的要求。”但其实宗教迷信并不是人类所免不了的要求，而只是唯心论者为了完成其欺骗理论的体系免不了要借用的工具。

第三，关于英雄史观。前面我们已经批评到唯心论把主观愿望和意志力量看做是决定一切的基本因素的说法。很显然的，唯心论者在鼓吹历史是按照人的主观愿望而进行的时候，他们所说的人往往只是某些个别的英雄与领袖。在我们已曾引证过的那篇强调人的主观力量的论文中虽然自称是“人为史观”而不是“伟人史观”，但他在文中明白地说：“政治上社会上的领导人物”才能在历史上以其主观愿望与意志来造成巨大影响，甚至说：“领导人物之振靡，就能影响社会的隆污，领导人物之勤惰，就能决定国家的治乱。”那么，这还不是“伟人史观”，英雄史观是什么呢？

唯物史观并不否认在历史上人为的作用。但是我们必须认清：第一，历史上的真正主人和创造者并不是少数居于统治地位的英雄，而是广大的人民，——尤其是直接从事生产劳动的人民；第二，广大人民的愿望及其在实际行动中的力量固然在历史上有着重大作用，然而历史的进程也并不能单纯由这种主观的愿望和力量来说明。事实上是历史向前进步的方向常具体反映在人民大众的愿望中，所以由这种愿望出发的行动才能产生巨大的力量。历史上的某些个别的人，假如真正能配得上称为英雄的话，那就因为他能代表人民的愿望与力量的原故，否则也就只是假英雄而已。真正的领袖是要向群众学习，而并不是用主观愿望来支配群众的。但是那些主张英雄史观的人却不这样地了解人在历史上的真实的作用，了解英雄的意义，如说："所以同为人类而有伟人常人之分，原因正不必向外追求，只反身自问是否有为即得。"这就是说，伟人英雄之所以为伟人英雄因为从他内在中发挥出一种伟大力量的原故。他们是企图把站在统治地位的人都描写成有着神秘力量的英雄来教人无条件地顶礼膜拜。

从唯心论的英雄史观中必然就得到常人应该服从"英雄伟人"，历史应该在"英雄伟人"的意志力支配之下前进的结论，那是不待言的了。

以上所述三点——独断教条，宗教迷信，英雄史观，——综合起来，发展到最极峰的便成了近代法西斯主义的思想。固然，并不是一切唯心论思想都是法西斯思想，但是唯心思想到了现代，把它内部所包含着的一切反动要素都充分发挥出来以后，其唯一的出路便只能是走到法西斯的权力之下，求它庇护并为它服务。

唯心论思想本来自命为能充实和提高人类的精神生活，但是最后它却成为以迷信、教条、权威来杀死理性的刽子手，并成为最黑暗的物质权力的掌握者的帮凶。唯心论者自诩为最崇高的圣人，而我们所看到的却是最卑劣的骗子。相反的，倒是那被唯心论思想所丑语诋毁的唯物论思想却是认真地坚决地在杀害人类文化的法西斯势力前面高举着保卫理性的旗帜，——保卫那从客观实际出发的清醒的理性，保卫那与人民大众的和平幸福的生活的开展相联结着的进步的理性。

这是我们从实际中来看唯心论与唯物论的表现的不同时值得深长思之的事情。

一九四四年六月

评钱穆著《文化与教育》

冯友兰先生在其所著“贞元三书”中的一本——《新世训》的序言中曾说：

> 承百代之流而会乎当今之变，好学深思之士，心知其故，乌能已于言哉？……当我国家民族复兴之际，所谓贞下起元之时也，我国家民族方建震古铄今之大业，譬之筑室，或能为其壁间之一砖一石欤？是所望也。

和这样的口吻相似的是钱穆先生的《国史大纲》引论中所说的：

> 继自今，国运方新，天相我华，国史必

有重光之一日，以为我民族国家复兴前途之托命。则必有司马氏其人者出（按指司马光），又必有刘范诸君子等扶翼之，又必有贤有力者奖成此，而此书虽无当，终亦必有悯其意，悲其遇，知人论世，恕其力之所不逮，许其心之所欲赴。有开必先，若使此书得为将来新国史之马前一卒，拥彗而前驱，其为荣又何如耶？

是的，我们现在正是在中国民族发展史中的一个伟大的承先启后革旧开新的时期。旧的时代就要结束，新的时代就要起来，但是究竟怎样结束旧的时代，怎样开辟新的时代呢？这自然是每个人必须追问清楚的事。

冯友兰先生向我们献出了他的哲学，说这是探索“无字天书”（见《新理学》）；钱穆先生向我们献出了他的历史学，说这是上继司马光的《资治通鉴》的事业。虽然一个自谦是“一砖一石”，一个自谦是“马前一卒”，但显然他们是都深信中国的过去未来的一切奥秘都已藏在他们的拟无字天书和新资治通鉴之中了。我们不能不来看一下，他们到底告诉我们些什么？指点给我们些什么?

在仔细读过他们的书后，我们不能不直率地说，他们的书的内容和他们的自负，相距是太远了，而且竟或许可说是南辕北辙：因为他们预约向我们指点出中国前进之路，但实际上我们所读到的却是向后转的方向。

也应该指出，类似于冯先生或钱先生的意见的，我们从别的许多出版物中也常可读到。而所以特别指出这两位先生的名字，无宁说是因为对他们的尊重。我们尊重他们在学术研究上所曾付出的劳力以及他们在一二十年来坚持着清寒的教育生活的精神。正因为我们有着这一份尊重，因此对他们意见中不能苟同的部分——尤其是直接有关现实问题与整个民族命运的，更不能不认真地提出商榷和批评了。何况这些意见恰好又正是那些不学无术，唯知帮闲起哄的人们所得而利用的东西，这更使严正的批评成为必要的了。至于那些帮闲起哄的作品，我们是常常觉得，连回头嘘一下的兴趣，都很不容易提起来的。

对于冯友兰先生的哲学，已经有过很多批评，这里试来评一下钱穆先生从他的历史学中提出的意见。——

《国史大纲》虽然是一本讲义式的中国通史，但是在这里面，实际上是包含着著者对于中国政治与文化的现状及其发展前途的许多看法的。不过为了可以更直接了当地看到钱先生在现实问题上的主张，我们不妨先来读一下《文化与教育》这本论文集。这本集子是在一九三三年八月出版，包含钱先生分别在报纸杂志上发表过的二十九篇论文。以下虽然只能从这里面抽出几个根本问题来讨论，但我想，只要弄清楚了这几个问题，也足够使我们懂得钱先生对中国历史的全部看法了。

一 “中国式的民主”

在这本论文集中有一篇《革命教育与国史教育》，其中提到两点对中国历史的看法。第一点是说，中国历史上自秦到清末的政治并不是专制政体，第二点是说，中国的传统文化是至今仍有优异的价值的，而这两点也正是在《国史大纲》中全部内容所要证明的主要东西。关于第二点我们留到下面再说，先说第一点。钱穆先生在那篇论文中是这样说的：

> 我常听人说，中国自秦以来二千年的政体，是一个君主专制黑暗的政体，这明明是一句历史的叙述，但却绝不是历史的真象。中国自秦以下二千年，只可说是君主一统的政府，却绝不是一个君主专制的政府。（一一五页）

我们首先应该指出，像这样的翻案文章，并不是钱先生一个人独倡的。近几年来“学者”“教授”中已有很多人纷纷著论，从各个方面来企图证明中国秦汉以来的政治并非专制政治（如张其昀先生，萨孟武先生）。很显然的，这种看法倒还不只是学术研究上的一种“新”见解，而且是和现实政治中的某种要求和呼应的，但为了现实政治的反动企图歪曲了历史的真象，那却是从根本上丧失了学术的态度和精神。

何以见得这是歪曲历史的真象呢？只要看一看在这本书中钱穆先生是怎样说明汉代政治的。

> 汉王室虽起于丰沛，汉国都虽建于长安，

然非江苏人或陕西人得天下而宰制的，实系中国全国民众共同结合，组织中央政府，设首都于长安，而拥戴刘氏为天子。当时所谓关东出相，关西出将，明由全国各地人才，操使全国之政权。不仅服官从政之机会公开于全国，他如教育兵役赋税各项权利义务莫不举国平等，彼此一致。（页十一）

说是在二千年前，全国民众曾“结合”起来，“拥戴”刘邦做皇帝，这那里有什么事实的根据？刘邦即帝位后，和他臣下讨论何以能得天下的原故，他自己和他臣下也只说是由于他能“用人”，还不敢说是由于全国民众的“拥戴”。钱穆先生以为刘邦能用全国各地方的人才，就足以表明他的政权，代表全国人民，这更是把社会横断面的地区问题来代替了社会纵断面的等级问题。假如必须是从皇帝一直到将相僚吏都是同一个地方的人，才算是专制政治，那么可以说中外古今都没有过专制政体了。问题是在：他虽然用了全国各地的人才，但这些“人才”究竟是些什么人，他们是从那个阶级中产生的，并且更重要的是，他所施行的政策是对于那一个阶级有利？必须从这些问题上看，才能看到汉代以及每一个时代的政治的真象。在汉代不但社会中有着大量的奴隶（家僮，奴婢），并且在汉代统治下，“富者连田千顷，贫者无立锥之地”的现象日渐的严重，而汉王室及其官僚就在这过程中，使自己成为大地主，纵然也曾企图实行社会改良政策，但其一切政策本不为了生产人民大众（农民）的利益，因此农民失掉土地，卖身为奴的现象，在整个汉代是只有一天天的严重。以汉代的这种社会情形而说，“举国平等，彼此一致”虽是贾谊晁错之流从九原下再生起来也不敢承认的吧。

钱穆先生及其他先生们不仅捏造了汉代的政治情形，而且把“一部二十四史”都照这样地改造了，他们所根据的理由不外乎钱穆先生所述的以下两点：

第一个根据是关于宰相制度，照钱穆先生的意思是有了宰相分掉皇帝的权，那就不能算是专制政治，而且他认为，纵在无宰相之时，也仍不就是专制政治。他说：

明代以前，宰相为政府领袖，与王室俨成

敌体，帝王认命，非经宰相副署，即不生效。（页一一六）

中国传统政制，虽在明代废止宰相以后，而政府传统组织，亦非帝王一人大权独揽，今人力斥中国政体之专制，明为无据。（页一三九）

是不是有了宰相制度，在君主国家中就不是专制政体呢？这个问题值得我们来分析一下。

假如政体是指政权构成的形式，那么在政体问题前先得把国体问题弄清楚。由国体上来看，汉唐宋明无非都是地主阶级占统治地位的国家。所谓政体问题就是指他们采取怎样的方式来组织其政权机关，行使其政权力量。我们说：中国过去是君主专制政体，就是说：当时的统治政权是集中化在皇帝个人的人格上，通过皇帝个人的意志来执行地主阶级的统治。因此，脱离了国体问题来单纯谈政体问题，是捉摸不到中国历史的真象的。孙中山先生领导辛亥革命，所要推翻的不仅是传统的君主专制政体，而且是那种传统的国体，这正是孙中山先生比戊戌党人更进步的地位，因为戊戌党人所要改革的至多不过是政体而已。

并且在与国体问题分隔开来讲时，所谓君主专制政体也就弄不清楚了。钱先生以为君主专制政体的意义就是全国一切统治力量都由皇帝一个人直接行使，“大权独揽”。但这在事实上是不可能的。于是看见有宰相的设制，有六部的分设，有御史制度，有有系统的庞大官僚机构等等时，便以为这是证明其实当时政体并不是君主专制。但要知道，在君主专制政体下，地主阶级虽是通过皇帝个人的意志来执行政权，可是单靠个人的力量固然不够，而个人的意志有时也会胡作乱为，以致连地主阶级看了也不满意。因此就要设立宰相御史及各种政治制度来辅助，来牵制，甚至有些时候，地主阶级由于内部在政治上的分裂使他们中有一部分人起来把他们所不满意的皇帝去掉另换一个。但无论如何，君主专制政体还是君主专制政体，这是因为地主阶级为了本身的利益，必须维持并巩固皇帝个人的威权，而使整个国家机构在他个人的名义之下圆滑地进行。

以实际历史事实看，宰相与王室成为敌体也只是在个别时期的事实（在王室已经无力维持当时地主阶级的利益时）。而且宰相的废立，权仍操在君主手里。钱穆先生把宰相当做政府的领袖，把君主看做只是王室的领袖，这样的分析是根本违背了历史事实的。钱先生书中常讥笑旁人袭用欧美民主政体的观念，但我看他提出这种说法也是偷袭来的。大概是因为欧洲近代民主政制中有三权分立，所以也把中国传统政制看做是二权分立，这样就抹煞君主专制政体的真实内容了。

还有第二个根据是关于考试制度的，在《国史大纲》中钱穆先生也充分发挥了这一点，他认为科举制度就表明了当时的“政权”是向全国上下人民公开的：谁只要读书应举，谁就可以做官。根据这点，钱穆先生甚至抹煞那二千年来国体的实质了。《文化与教育》一书中也说得很明白，他说：

> 中国传统政治，既非君主专制，同时亦非阶级专制，此等不须再说。然则中国传统政体，自当属于一种民主政体，无可非难。吾人若为言辞之谨慎，当名之曰，中国式之民主政治。当知中国虽无国会，而中国传统政府中之

> 官员，则完全来自民间，既经公开的考试，又分配其额数于全国各地，又按照一定年月，使有新分子参加，是不啻中国政府早已全部由民众组织。……（页一四三）

用学者的口吻来抹煞事实，混淆名词，恐怕是再没有更胜过这一段话的了。难道用官员的来源就可说明一个国家的国体了。钱先生虽未用国体的名词，但这段话所说的意思显然是关涉到如笔者前面所讲的国体问题的。又难道中国历代的官员真是大多数出自民间么？而且所谓“民间”是什么意思呢？照钱先生的前后之所说，其所谓“民间”就是在王室及其姻戚以外的社会，那么在那里面不需要至少分别一下地主农民的不同么？科举考试制度在名义上固然是公开于一切人的面前的，但是有机会受教育，有可能投考应举的人大半是属于地主阶级的。专制时代的科举制度的意义其实就是从地主阶级中经常选择出一批可用的人才来行使政权，那正表明这是地主阶级专政的国体。而在那时代一切考试用人之权又集中在君主一人手里，这又正表明这是一个不折不扣的君主专制的政体。

固然，在科举制度下，也未始没有出身下层社会苦读应举，“一举成名”的人，但其出身如何与其在实际政治中代表什么人，并不就是一件事。正如我们不能根据刘邦朱元璋的出身来判断汉与宋的政权性质一样，我们也不能因为范仲淹出身贫寒，就以为他在政治上是贫苦人的代表。因为在那样社会中，必须在受教育期，完全接受统治者的思想，才能应举考中，在出仕时期，更必须完全站在统治者的利益，才能够“步步高升”。

但科举制的实行，自也反映了中国封建政治的一个特质，非世袭贵族政治，而是官僚政治。这就是说，操行政实权的不是世袭的贵族，而是经过科举及其他方法而产生的官僚——这些官僚从上到下，一级一级地像金字塔一样地压在人民身上，而居于最高的顶点的则是专制君王。因此官僚制度之存在并不足以否定君主专制，恰恰相反，它只是在这样庞大的国土上中央集权的君主专制得以维持的有力支柱。用官僚制度来补足的君主专制，这就是中国封建时代的政体的全貌。

照钱先生在全书中各处所述，是甚至把当时有一定的法令规章，一定的铨叙规则，一定的赋税制度，都拿来做当时不是君主专制政体的证明，那更是不值一驳的说法。难道君主专制政体就是一切无秩序，无规则的意思么？任何国体政体下都有法律制度规章，问题是，这些法律规章是为保护什么人的利益而设的，是怎样制定起来的，是通过什么方式而行使的。而且在中国过去历代，虽然有成套的法律规章等，但正因为是君主专制政体，因此君主就有权随时加以改变或公然违背。这些事实，熟悉史实与掌故的钱穆先生所知道的应该比我们更多吧。

钱穆先生及其他同调的先生们，对于人人熟知的历史硬要来一个“翻案”，其真实意思到底是什么呢？难道只是为了告诉我们，中国现在所当行和能行的民主政治就是那在两汉隋唐宋明历代所行使的政治么？所谓“中国式的民主”就是我们一般常人所称为君主专制政体的那种东西么？我很奇怪，想出这些意见的先生们都不公开反对孙中山先生的革命理论与事业，甚至还加以赞扬。但实际上他们是应该反对中山先生的，因为中山先生所要推翻的就是两汉隋唐宋元明清的那种国体与政体。假如中山先生还在，他听到人们说，他所毕生与之奋斗的君主专制政体，其实是“中国式的民主政治”，不知道他会作何感想！

二 “孝”与“中庸”

赞扬中国旧时代的传统文化，看做是今后中国民族文化生活的中心，这种论调，更是到处听得到的。像林语堂先生最近曾说：中国之所以能抗战就因为靠了传统文化的力量的原故。但林语堂不过是随着旁人做应声虫而已，钱穆先生在这本书中也有类似的说法：

> 说到中国传统文化之价值问题，这本可不证而自明，中国文化是世界绵延最久，扩展最广的文化。只以五千年来不断绵延不断扩展之历史事实，便足证明中国文化优异之价值。……只看此次全国抗战精神之所表现，便是其明证，试问若非民族传统文化蕴蓄深厚，我们更用何种力量团结此四万万五千万民众对

此强寇作殊死的抵抗？（页一二一）

此外，钱穆先生又说，在中国传统文化后面藏着“一种特有的战斗心理”，捷克、波兰、法国在这次大战中“论其战斗精神乃下吾远甚，此何故，曰唯战斗心理相异故”（页十五）。这也就是说，从这次世界大战中，更证明了中国传统文化的优越与神奇。

这种种说法的错误，才真可说是“不证而自明”的。假如法、波、捷之为纳粹侵占的原故就因是他们没有中国的这种传统文化之故，那么苏联英美是靠的什么呢？至于中国自己，假如抗战七年，所靠的全是传统文化，而前一百年的迭遭侵略，不能振作的原故，就是因为丧失了传统文化，那么又为什么抗战一起，传统文化忽然能再兴了呢？假如已经再兴了又何劳诸公如此疾声厉色的大喊恢复固有的文化呢？

这些问题实也不值得多讲。我们还是来看一下，钱穆先生所说的中国在“五千年来”赖以立国，而在现在又赖以抗战的“传统文化”到底指些什么内容。

全书第一篇文章就是《中国文化与中国青年》，其中以中国文化与印度文化欧洲文化对比，据说这三种文化各有特点，相互不同：

> 大抵中国主孝，欧洲主爱，印度主慈，故中国之教在青年，欧西在壮年，印度在老年。我姑锡以嘉名，则中国乃青年性的文化，欧西乃壮年性的文化，而印度则老年性的文化也。又赠之以美谥，则中国为孝的文化，欧西为爱的文化，而印度为慈的文化。（页三）

这就是说，中国传统文化的优异就在于“孝”的主张。钱先生更斩金截铁地说：“然则中国人不言孝，何来有中国五千年绵历不断之文化？”

抄了钱先生的这些话后，笔者心里不能不无限感慨。四川的吴又陵先生在二十年前曾“只手打倒孔家店”，高举“非孝”的旗帜，但在二十年后，就在吴先生的家乡，我们还不得不再来批评这样赞扬“孝的文化”的议论。时间是在跟谁开玩笑啊！

传统文化中的所谓“孝”确不只是用在家庭关系

中的概念，而且还被用来推演到一般的社会政治关系上面。所以历代专制君主及其策士们最喜讲“以孝治天下”和“爱民如子”一类的话。而其实的意义却无非是说：我做君主的人把你们老百姓看做是我的儿子，因此你们也要像孝敬父亲一样地孝敬我，可别把我当做压迫你们的人。他们以为这一来，天下就自然“治”了。二千年来的专制统治，就是像这样地利用“孝”的观念，利用“孝”的文化的。二三十年来的一切复古论者所追怀不置的也就是这种“孝”的观念还为一般人所承认的好时代。钱穆先生的议论到底有什么新的意义呢？

我看，钱先生立论新颖的地方不过是，在说法上他把“孝的文化”说做是“青年性的文化”。这话却是向来一切讲孝的人所不敢说的。因为传统文化中“孝”的道理，本决不是从青年人，做下辈的人的立场上来讲的。“三年无改于父之道”这种说法，以及把“孝”延长到政治上去的主张，那都只是为做长上的人打算，全不是考虑到青年人自身的进步发展的。使一切都遵循着旧的标准，使新的埋葬在古老之中，这正是“孝的文化”的特色。因此用钱先生的比喻，倒应该说，“孝的文化”

是老年性的文化才对。

既把“孝”说做是“青年性”的，于是钱先生就来向今日的中国青年批评和说教了：

> 我窃观于今日中国之青年，……其所拜蹈歌颂者则曰平等，曰自由，曰独立，曰奋斗，曰恋爱，曰权利，此皆壮年人事也。然而如何而为青年？孔子曰：“弟子入则孝，出则弟，谨而信，泛爱众，而亲仁。”子夏曰：“贤贤易色，事父母能竭其力，事君能致其身，与朋友交，言而有信。”孔子，青年之楷模，论语，青年之宝典也。（页十）

由这段话，我们更不难看出钱先生的这种议论的真实目的是什么了。不过是要青年们不要去争什么自由平等，求什么独立奋斗，只要安安分分地回家去孝顺父母，服侍长上，就是你们的最好的去处了！

关于钱先生之论欧西与印度文化的说法，也不是我们所能同意的。全书论及中国时常以西洋对比，如另一篇文章中说："中国为一行使人才政治之文化国家，西洋为一行使武力统治之侵略国家。"（页十二）也与"恋爱"，"慈悲"之说同样不经。"西洋"竟说成是一个国家，更是不成话了。但这些且都搁开不谈。这里仍只讲他对中国传统文化的说明。除了上举"孝的文化"论外，另有"东西人生观之对照"一篇，也还值得一述。

据钱先生说：人生观有两种，一种是现实的人生观，一种是理想的人生观。前者发展至极点是科学，后者发展至极点是宗教。而"我中华适处其两极端之中心"，所以不发展为宗教而只是"崇拜历史"，又不发展为科学而只有艺术。他说：

> 中国史只似一部西洋史的中和。因此，中国没有大起大落，没有激剧变化。儒家精神代表了中国文化之最高点，儒家精神之礼乐，便是希伯来式的礼拜与祈祷，羼和着希腊式的歌唱兼跳跃。（页四一）

中国为什么没有发展科学与宗教，那是一个较大的问题，此地不必讨论。中国人生观与文化的对比，此地也不谈。单以人生观中的对现实与理想的态度来看，那么我们可以说：一方面只匍匐在现实前面，没有理想的那种态度，是守旧的态度，这并不就是科学，只有最庸俗的科学，才是如此的。而另一方面，脱离了现实，一味高谈理想，其理想其实只是幻想，——宗教似乎可以说是如此，但宗教在实际上却又是匍匐在现实前的。因此，结合现实和理想诚然是一件很重要的事，但结合并不是中庸。而儒家精神恰恰正如钱先生所说，是调和，是中庸，它是企图在现实与理想之间求得调和折中的道路。一方面只是匍匐在既成现实的前面，对旧秩序尽其歌颂的任务，一方面又拉来一些自命为理想的东西，而其实质却只是粉饰旧秩序，永远无伤于旧秩序。这样的中庸主义的人生观是绝对不能成为新时代中国人的合理的人生观的。

也许有人说：我们既然把钱穆先生所指为传统文化的精华的“孝”与“中庸”都否定了，那就不免大大损害民族的自信了。因为钱穆先生说：“当知无文化便无历史，无历史便无民族，无民族便无力量，无力量便无

存在。”（页一二二）

我们必须郑重地回答说：纵然我们民族历史的精神文化方面，有的只是“孝”与“中庸”，那么当我们发现了他们已不合于新时代的生存时，就要毫不容情地加以抛弃，这才能使我们对于民族的新生有充分的自信。敝帚自珍并不就是自信的表现。而且我们更应指出，“孝”与“中庸”也不是二千年来民族文化的唯一代表，它们只是二千年来民族文化中占着统治地位的一部分，而在被统治的方面，代表了广大的人民大众的，也有反孝与反中庸的文化传统。虽然因为那是处于被压制的地位而不能充分发展，但我们在回顾民族的历史时，却只能从后一方面获得前进的力量。因为今后民族的生存，必然是以人民大众为主体的。

是的，从这古老的民族中必须产生新的力量，争取新的生存，但在初生的过程中就有死亡，让新生的东西新生起来，让死亡的东西死亡下去。这才是我们所应该有的态度。难道因为民族还要生存下去，所以，两千年来的祖传梅毒也有要求生存的权利么。

三　再来一个“新黑暗”

钱穆先生对西洋文化的看法，我们不可能来详细讨论，因为跟着钱先生从印度跑到欧美，从古希腊跑到苏联新社会，一一批评其所提出的混乱的意见，绝不是这一篇短文章中可以做到的。而且这其实也不必要，钱穆先生是以本国史的讲授驰名的教授，其对外国历史与文化的知识与见解，从一年前他为了中西文学比较问题与梁实秋先生的论争中已可略见一斑了。只凭猜测，一笔抹煞西洋文学，那实在是令人吃惊的事。在这本书中，钱穆先生为了反对马克思思想竟也有这样大胆的判断说：“就欧洲中心的帝国内部而言，劳资对立，只是一个经济问题，只要分配平均，阶级对立即行取消。”（页五八）假如此话当真，则不但马克思要被打倒，而且从亚当斯密到孙中山先生都会茫然若失了吧！难道中国传统文化竟有这样的灵效；可以帮助钱穆先生用一句话来解决了二百年来使欧洲一切资产阶级的经济学家社会学家和政治家焦头烂额的问题么？

说世界上只有殖民地与帝国主义的矛盾而否定了在

每一国家内部的矛盾，这论调本是出于那些不学无术的宣传“社会价值论”的先生们之口的，但以学者风度的钱穆先生竟也用耳朵来代替思想，却不能不使人惋惜。那些“社会价值论”者为什么如此主张，我们已曾略加提出过（见《这就算是批评么？》)，而钱穆先生是怎样的把这主张发挥到文化问题上也值得我们来看一下。

从下引这几句话中可以看出钱先生对于近代欧洲文化的看法：

> 自此（按指这次世界大战）以前四百年，世界文化传统为欧洲中心之传统。此种文化以四百年来欧洲各国新兴中层资产阶级为主干，其对内为争得代议制度，对外为殖民地之经营……（页五五）

所谓“四百年”是指十六、十七、十八、十九这四个世纪，把这四百年的复杂的欧洲历史——其中包括资产阶级初兴向封建势力斗争的时期，资本主义的恐慌、危机和没落的时期，以殖民地的获得为条件的资本帝国主义时期，笼统地用一两个概念来说明，这是何等非历史学的态度！把资产阶级的民主主义文化简单化成“代议制度”这一个概念，已经是非常不充分的了。而且在钱先生心目中，“代议制度”还不是其所重视的。他说：“请国人放大心胸，……把当前四百年来欧洲中心的殖民文化放在一个它所应占之篇幅与地位。”（页六五）这正是用“殖民文化”这一个概念来笼括了四百年来的全部资本主义社会的西洋文化。但纵然只说明资本主义没落期的文化也不是只用这一个概念就够了的，何况要用这一个概念来抹煞四百年来的西洋文化，那就更是不公允的事了。

但在这里，我们倒不必来为四百年来的西洋文化诉冤，重要的是，把对“西洋文化”的这种估价与其对中国传统文化的估价联结起来，我们就完全懂得钱先生的真实意义了。他既然认定现代世界有的只是殖民地与帝国主义间的矛盾，而“在这矛盾中，经济问题尚在其次，更宝贵更深刻者则为文化问题”（页五九），这就是说，这里有着两种文化的对立，一面是“四百年来欧洲中心的殖民文化”，一面是那最伟大，最优越的以“孝”与“中庸”为精髓的中国传统文化。那么今后中国文化的何去何从，钱先生的意思是再明白不过的了。——文化上的复古主义与排外主义在这里便得到了最狡猾的化装！

自然，我们也要从根本上反对那种充分浸透了阶级统治和殖民地剥削的气味的资本主义——特别是在其帝国主义时期的统治文化；但是我们同时要看出，就在欧洲资本主义的四百年历史中，——特别是在资产阶级初兴后的向上时期，在文化上也发展起来了一种进步的因素，这就是民主主义文化的进步因素。这种因素虽然本身仍带有消极的一面，但是比了在它以前一切时期的人类文化却是更进步的。假如用“殖民地经营”一句话来抹煞了这四百年来的资本主义文化，否定了其中一切比封建文化更进步的地方，这只足以表明其对人类文化史的无知而已。

而且，从现实的世界文化来看，更应该看出西洋文化已不是单一的本西。有继承着资产阶级民主主义的传统的文化，有资本主义文化腐烂因素集大成的法西斯文化，更有否定了资产阶级文化的社会主义文化。这三种文化在西方固然可以拿英、美、德、苏联等国来分别代表，但事实上，在每一个资本主义国家本身中，也表现着这三种文化因素在不同方式下的对立。不了解这点，是弄不清楚今日西方的文化及其发展前途的。——而恰恰也在这点上，钱先生再度表现了其观点的混乱；比如他说：“以政治言，或主英美民治，或主苏联共产，或主德意独裁。不知溯其渊源，三者貌异而神同，其本仍出于一。”（页七二）这三者之所以“神同”，在钱先生看来，乃是因为他们同出于“四百年来的殖民文化”！

假如英美民主主义文化的根本不过是殖民文化，我们怎么能在战争中和英美合作？而目前正是反法西斯的中心力量的社会主义国家，其在政治上与文化上竟也是与德国“貌异神同”，这更是稍有常识的人所说不出来的话！

是的，法西斯的政治与文化是在中国前进之途上所必须彻底根绝的，但是倘和这同时，一面根本排斥了民主主义的政治与文化，另一面又根本排斥了社会主义的政治与文化，那么留给中国的前途除了回到所谓“中国式的民主”的专制政治和“孝”与“中庸”的封建文化里去，还有什么别的路呢？——绝灭了前进的道路，就只有退向后去。

但是历史到底是不能退后的。假如硬是要朝这样的方向退后，那么实际上所得到的也绝对不可能是汉唐的政治与文化，而只是法西斯政治文化的一种变种。——这正是绝端的排外和复古所必然引导出来的一个趋向。这是我们所必须严正地指出来的。

或者还有人在通读钱穆先生全书时，会说我们评论钱穆先生的主张为文化上的排外主义，是不公平的，因为他也说到西洋文化在这次战后还能有光辉的前途，而中西文化将有更进一步的交流。

那么让我们来看看，关于这些，钱先生是怎样说的吧。他说的是：

> 新欧洲的将来，定要从新汲源于古希腊之艺术哲学及中古时期之宗教信仰，渐次凝结成一单位，再来贡献于更远大的世界新文化。（页六二）
>
> 欧美人的再生，无疑的仍将于其已往旧历史里得胎。彼辈亦将一洗畴昔民族优秀之观念

之傲态，转而面对东亚新世界之古文化。彼辈无论是再修正的新希腊人生，抑是新基督教，均将大量吸收东方占文化之精液。说不定他们要有一个东行求法的新运动。（页七四）

从这些说法中，我们所看到的中西文化的前途是什么呢？不过只是这样五个大字：

一齐向后转

中国回到我们的文武周公、汉唐宋明和儒教里去，欧洲回到他们的希腊、中世纪和基督教里去！

在这里，我们可以看到一切老的复古排外论者和这些新的复古排外论者不同的地方，这是值得我们来多说两句的。

老的复古排外论者以为一切中国旧的东西都是好的，而一切外国的东西都是坏的，都是要不得的。和这种见解相反的，就有所谓“全盘西化”论，那是把一切外国东西不管基督教还是实际科学，不管中世纪还是资本主义时代，都当做好的，都要照原样地捧到中国来。这两种见解根本无法表现到实际中去：因为一方面，在外国有了的新东西，在中国，要来的一定非来不可；而另一方面，把外国的上下数千年的文化积累当做一个杂拌儿，也根本无法搬来。于是才又产生如钱穆先生所主张的这种新的见解。

这种新的见解，在根本上是复古也是排外，因为他是把一切外国的东西，从中国旧文化传统的立场上看去是新的，不适宜的东西都加以排斥，他排斥一切在现代西洋文化中对于当前中国的现实具有进步意义的东西。但他却看出了在西洋文化史上也还有时期的不同，也曾有过一个时期，西洋文化和中国传统文化只是“貌异神同”，——看出这点倒是对的，因为中国传统文化是封建时代的文化，而欧洲也有过它的封建时代，也有过它的封建时代的文化。但从此出发，认为中国文化自己要向后转，并和向后转的西洋文化合作，这却是拿人类文化史来开玩笑了。

对西洋文化史特别赞扬其中世纪文化的并不是钱穆先生一人。如贺麟先生就也是一面赞扬欧洲中世纪文化，一面捧着那产生于资本主义腐败时期，又直接引导到法西斯思想去的新黑格尔主义。他们都是从直到今日为止一部西洋文化史中抄出其坏的、落后的成分，而剔除了其好的、进步的成分。所以向来的文化史家都把欧洲中世纪看做是“黑暗时期”，而钱穆先生却认为这“黑暗”其实倒是光明，而且，他说：“我们可以疑心欧洲或许在最近将来要来一个耶稣复活，再来一个新黑暗！”（页三九）

呵，伟大的预言家啊！假使人类的文化真会跟着钱穆先生的指示走，那么不论是东方还是西方，便都一齐跌进了一个黑暗时期了！

由这里，我们也可以懂得，为什么钱穆先生，冯友兰先生，贺麟先生等等都不约而同地对于满清大臣张之洞所提出的“中学为体，西学为用”之说发生兴趣，并都自以为是从一个新的意义上来再提出这口号。（钱先生之说见本书页四四，冯先生之说见《新事论》，贺先生之说见《近代唯心论简释》，对冯、贺二先生之说均另有文批评。）因为张之洞实际上弄不清楚“西学”到底是什么，所以不免弄成“体用两橛”，无法自圆其说。但新的复古论者们所看到的“西学”只是欧洲中世纪的封建文化和资本主义腐败时期的某种思想，因此就自然能和那中国封建时代统治者的传统文化和洽一致；体用相合了。

四 “攀龙附凤”

因为我们批评钱穆先生的这本书，不过是借以来指出在今天有许多人在努力宣传着一些有害的观点，所以在说明了以上各点之后，对于本书中所涉及的其他问题都可暂置不论了。然而最后，我们还不能不指出，使得钱穆先生对于中西文化的历史、现实及其前途各方面都得出了许多糊涂而混乱的结论原因是什么。

首先，我们必须指出，这一切混乱与错误都出发于唯心论的观点。

钱穆先生是公开的反对唯物论、唯物史观的人，在他的著作中，对于历史的解释，也是直率地用唯心论的观点来立论的。在《国史大纲》中，他直率地说：“国家本是精神的产物”（《国史大纲》上册页一五四），例如在该书中论及在两汉的“统一国家”以后继之以四百年的长期分裂，然后又是隋唐的“统一国家”这样的发展过程的原因时，钱先生以为，乃是由于那种支持一个“大一统国家”的精神理论先是失掉了，后来又复活了的原故。

钱先生的对于唯物论与唯物史观根本没有经过认真的考虑，这是我们敢于断言的，因为他对此二者的了解不过是接受了一些恶意的批评者的唾余，他所认识的唯物论只是尊崇物欲的思想，他所认识的唯物史观不过是最朴素的经济决定论，而二者，在他看来，又都是根本否定人类精神生活的。

我们在这里不可能来和钱穆先生讨论哲学与历史哲学的问题。但既然是根据某种哲学观点来说明历史，那么正确的观点就只是那能对一切历史现象作出恰当而完满的说明，并对历史的发展指出可能实现的方向的观点。从以上所指出的那种对于历史文化问题的糊涂混乱见解就已经足够证明其所据以出发的哲学观点是何等无用的武器啊！

我们还要着重的指出，这一切混乱与错误又都出发于脱离民众反对民众的立场。

钱穆先生之站在这一立场上，在他的著作中也是非常公开的。所以他在《国史大纲》的序言中明白说出他的著作是上继司马光的《资治通鉴》的事业的。因此他也毫不掩饰地和历代的治者站在同一立场上指斥历史上每一次的农民起义（包括太平天国的起义在内）是“叛乱”，是对于社会的进步毫无好处的。在《文化与教育》这一本书中也同样贯彻着这个立场。所谓“中国式的民主”所包含着的，其实是反人民的内容，那已不必再说。更明显地表现这个立场的，还有《建国三路线》一文。

在这篇文章中，钱穆先生反对“民众建国论”，虽然他说：“国家基础在于民众，为民众而有国家，国家的一切代表着民众，这是天经地义，无须讨论”；但又断然决然地说，“无论如何，中国的建国工作，一时还无法径行推到全体民众的肩上去，这是显然的事实”。（页一二六）

我们已知道，钱穆先生是对于汉唐宋明的政治十分满意的人，他以为那样的国家就已可算是“基础在于民众”，“一切代表着民众”的了。因此他当然不赞同民众建国论。但我们只要能不用“传统文化”的偏见来看一看现代的民主国家，那么就不能不看出，假如不是人民直接参加建国工作，真正的以民众为基础，代表民众的国家是绝对产生不出来的。自古以来，一切专制魔王，何尝不以为自己的国家是为了民众，代表民众的，但他们永远不肯承认民众做国家的主人。钱穆先生之反对民众建国论岂不正和他们一鼻孔出气么？

正因为钱先生是用这样的立场来看政治，因此在本书中另一篇论政治家的文章中就明快地说："政治事业，乃彻底的一种英雄领袖的事业。"（页一六〇）既然如此，在《建国三路线》一文中，反对民众建国论之后，虽也反对"领袖建国论"，但其驳论却只能是非常无力的了！他说：

> 自袁世凯以至吴佩孚，……他们还来做秦始皇唐太宗所不能做亦不敢做的事。他们想用一个狭窄的部分的势力来统治中国，结果只有失败，他们似乎做了民众建国论的反动思想。（页一三一）

袁世凯吴佩孚的企图自然是应该揭破与打击的，但应该看出，袁吴的企图，实际上正是想走秦始皇唐太宗的路。拿秦始皇唐太宗来教训袁吴之流，会有什么效果呢？秦始皇在历史上为功为罪，我们且勿作断言。唐太宗，诚然不能不说在中国历史上有才略，有作为而又能用人的一个皇帝，但是历史不能拉回到汉唐时代，而唐太宗在二千年的封建历史上也只有一个，生在现代而想做唐太宗，结果就只能是袁世凯吴佩孚。钱穆先生反对袁吴，而又主张唐太宗的路线，不能不说是自相矛盾的。

我们懂得，钱穆先生在讨论建国论时，其正面意思乃是说，建国的基本力量既不属于民众，也不属于领袖，而是属于“中层阶级”，他说：

> 建国的力量，逃不出此三者（民众、领袖、中层阶级）之外，而且必待此三项势力之协调与融和。其机括实操于中层阶级之手。必待中层阶级先走上协调融和的路，而后才能拥护出全国一致的真领袖，而后他们才能领导全国民众以建国的真路向。（页一三四）

对于这种议论，我们且不来作理论上的批评。只说，假如以为从中国历史上可以得出这个结论，实在是大谬不然。像唐太宗，钱穆先生之所以深加赞扬，是因为他能用人，而所用又皆贤人。但是在那样的政体下面，毕竟是唐太宗任用房玄龄杜如晦魏徵王珪，而不是房杜魏王拥戴出了唐太宗。假如这些人所遇的不是唐太宗，而是宋高宗明神宗之流，则结果如何，是也不难设想的吧？而且如钱先生所说的“中层阶级”，在全国人民中又何尝不是一个“狭窄的部分”，有什么根据说，从他们中可以产生全国一致的领袖——假如置广大人民的要求于不顾？

谁也不否认，中层阶级在建国中也占重要地位，但是有一个最切实不过的教训摆在中层阶级的每一个人的面前：倘不能认真信任并依靠基层人民的力量，就只能成为领袖建国论的俘虏！

钱穆先生说得很明白：“大政治家之成就，并不系在其自身，其更重要者，实在其攀龙附凤之一集团。”（页一五五）由此可见，钱穆先生把中层阶级的作用如此强调，以为只有他们能拥戴出真领袖，领导民众，但实际上却也不过是自许为“攀龙附凤”的集团而已！

一九四四年一月

论历史研究和现实问题的关联

——从钱穆先生的《国史大纲》引论中评历史研究中的复古倾向

因为要求对激变中的当前现实获得更充分的认识，人们便用更大的热诚去回顾先民的历史了。因为要求对于从现在到将来的途径获得更明确的把握，人们便更急迫地想去弄清楚从过去如何发展到现在的途径了。——这虽然是应该的事，但是不可不警惕，历史的认识可以帮助我们了解现在和将来，却不能为历史所俘虏，而走入复古派的倾向。那样就会模糊了对现在的认识，更绝灭了向将来的前进。

钱穆先生著《国史大纲》是近年来史学界中一值得注意的著作，书中有一“引论”，有二万余言，为该书著者对于历史的态度和研究方法之说明，并由历史而申论及其对现实问题的看法。全书精义盖已笼括其中。今就此引论略加评述，以与钱先生和读者诸君商榷，或为钱先生所许乎？

一

首先，让我们来介绍《国史大纲》引论中的一段值得称引的话：

> ……历史智识与历史材料不同。我民族国家已往全部之活动，是为历史。其经记载流传以迄今者，只可谓是历史的材料，而非吾侪今日所需历史的智识。材料累积而愈多，智识则与时以俱新。历史智识，随时变迁，应与当身现代种种问题，有亲切之联络。历史智识，贵能鉴古而知今。至于历史材料，则为前人之所欲知。然后人欲求历史智识，必从前人所传史料中觅取。若蔑弃前人史料而空谈史识，则所谓史者非史，而所谓识者无识。生乎今而臆古，

无当于鉴于古而知今之任也。

在这段话中，把历史材料和历史智识分开，认为熟知史实并不是具备历史智识，又把鉴古和知今联结起来，认为历史智识应有助于解决眼前的现实问题。——这些思想都是极好的，是我们所愿同意的。但我们必须指出的是：钱穆先生只反对“蔑视前人史料而空谈史识”（我们也有同感），而我们更以为倘重视前人史料而完全信任这一切的史料，把前人的文字记载认为就是历史现象，那么其结果也会弄到，所谓史者并非真正科学的史（不能说明历史真象），所谓识者并非现代人所真正需要之识（只是前人的历史智识的俘虏）。

盖前人的历史记载，对于我们，固然都可以作为史料来用，然而它们并不是单纯的史料，而也是适应前人的某种需要的“历史智识”。如钱穆先生所深致钦仰的《资治通鉴》，就是最明白地用它的名称来表明了这是为当时的“治者”所准备的“历史智识”。因此这种历史记载的内容不仅“未必一一有当于后人之所欲知”，而且也未必一一符合于历史事实的真象。此所以我们在采用其中史料时必须加上选择、分析、批判的工夫。今若不加审察，即以之为可靠的史料，据而立论，则也不过是老的《资治通鉴》的翻新而已，于现代人民大众所需要的历史智识仍是无关的。在这点上我们和钱先生的意见是有分歧的，这种分歧，从钱先生对近代世各派史学批评中更为显而易见。

钱穆先生分中国近世史学为三派，一曰传统派（或可谓记诵派）；二曰革新派（或可谓宣传派）；三曰科学派（就可谓考订派）。对这三派，钱先生均各有所褒贬，而提及出自己的主张是："以记诵考订派之工夫而达宣传革新派之目的。"——这可以说是钱先生的历史方法的正面说明。

这样三派的分法，是否确当，姑置不论，我们暂且即照钱先生的说法来看。假如革新宣传派确有如钱先生所说的弊病："勤于求智识，而怠于问材料。……彼之所谓系统，不啻为空中之楼阁。……彼之把握全史，特把握其胸中所臆测之全史。……特借历史口号为其宣传改革现实之工具。……急于事功而伪造智识……"那么这种革新宣传派的确是要不得的，因为一则宣传而不根据事实，那就只是欺骗；再则，不确实根据过去的历史而看出今后的趋向，也就提不出革新的方案。要用真正的革新派的态度来对待历史，确是非从认认真真地掌握历史材料，了解历史真象下手不可的。

但怎样去掌握历史材料呢？以所谓“记诵派”与“科学派”对比，在我们看来，是后者胜于前者的。假如是真正用科学方法去研究史实，则必能从杂多的史料中找出其真实的发展进化的规律和线索，能够根据过去而更了解现在，并烛见将来，也就能达到所谓“革新派”的目的了。假如是真正在历史的现实中要求革新，则必不满足于传统的以“资治”为目的的历史智识，也必要求用科学方法去重新检查一切旧的史料，追求历史真象，这也就是历史学上的“科学派”了。因此我们的主张可以说是要科学派和革新派携起手来，形成科学革新派，或革新的科学派。这和传统记诵派是绝对对立的。

钱先生批评科学考订派说：“震科学方法之美名，往往割裂史实，为局部窄狭之追究。”我们不否认在近世史学中确有此种倾向，但这正是说明科学方法犹未尽其用，或犹未能够运用真正的科学方法，盖真正的科学方法是要从分析中了解全面，从各个局部中综合而认识整体的。但纵然是那不完全的，不成熟的科学方法，我们以为，比之“传统的记诵派”也仍是进步的倾向，因为由此才能渐渐引向完全的成熟的科学方法去。钱先生不以如何改进科学方法着想，却转而认为“无宁以记诵一派，犹因熟谙典章制度，多识前言往事，博洽史实，稍近人事，纵若无补于事，亦将有益于己”，把传统的记诵派看做更高于科学的考订派，这实在是令人大惑不解的。

假如因为“科学派”只是割裂史实，所以用传统的记诵方法来补足之，则在旧的历史观念下，科学必将根本被害死；假如因为革新派只是空谈，所以用传统的记诵方法来充实之，则在实际上就是投降了旧的历史知识，还能有什么革新之可言呢？

二

由此，我们可以进而讨论到钱穆先生对于过去历史所采取之态度。

在《国史大纲》引论中提出一句警语道:“凡对于已往历史抱一种革命的蔑视者，此皆一切真正进步之劲敌也。”这句话值得我们来分析一下。

照我们看来，所谓对历史的蔑视，假如是因为过去的历史中充满了种种病象，因而根本不愿加以理会，一味但求革新，那就应该接受钱穆先生的这种批评:“革新固当知旧。不识病象，何施刀药?仅为一种凭空抽象之理想，蛮干强为，求其实现，卤莽灭裂，于现状有破坏无改进。”——而且事实上，这样的蔑视历史的结果还不只是不能有所改进，连破坏也做不到，因为你既不认识它，你就没有破坏它的能力。因此这种蔑视只能叫做盲目的蔑视而非革命的蔑视。但假如是认真地从历史中看出了病象之所在，而在现实中对于这一切历史的病象采取革命的否定态度，那就正是主张革新的人所应有的态度。这种革命的态度实不宜称为蔑视。但是钱穆先生却把这也当做是对历史的蔑视而一并加以反对了。

由此，在这篇引论中，钱先生举出三件他所认为“革新派”的史学主张，而加以反对。他反对那认为自秦以来二千年是专制的主张，反对那认为这二千年中的支配的思想是与专制政体相适应的“中世纪思想”的主张，他也反对那认为二千年来的社会经济形态是落后的封建经济的主张。他认为这些都不外对历史的“革命的蔑视”，他认为这种主张纵然一时动听，但一旦专制政体一倒，文化思想和经济制度的改造完成，“我国史仍将束高阁，覆酱瓿，而我国人仍将为无国史智识之民族”了。

这实在是很可惊的议论。钱先生所反对的这些对中国历史的认识决不是无所据而平空出来的。虽然我们不能只是死抱着这种一般性的判断，应该周密地考察历史发展中的更具体的迹象和规律，但我们必须把握这些根本点，然后历史的研究才能对于当前的现实有着实践的意义。因为这些从封建时代留下的政治经济文化的遗毒至今虽已在性质与形式上有所更易，但仍残存着成为阻止进步的因素，要在现实中有所革新，则这些封建时代的历史遗毒正是我们所应革去的主要对象。假如担心一旦已革去以后，历史研究就再没有意义，那实在是大类于杞人忧天了。因为要彻底革去这一切遗产断不是短时期内可以完成的；既然要使历史研究有助于当前的实践，那么我们就不得不把解剖、批判这些成为我们前进的负累的历史遗产当做此时此地历史研究的中心问题。至于到了将来，当整个民族生命从这些有害遗产中解放出来的时候，我们自然可以更自由地从历史中看出一切可资取用的养料，再不必惧怕那些毒素的为害了。这和钱穆先生自己所提出的“历史智识，随时变迁”之说，倒是正和符合的。但在现在，我们倘不去集中注意于封建专制主义历史中的消极倒退因素，却只从历史中随处找寻“可爱”的,“有价值”的东西，那恰恰是有害于“当身现实之革新”事业的了。

钱穆先生在反对“蔑视历史者”的名义之下，对历史完全放弃了根据现实的需要而从根本点上批判历史的任务，恰恰相反，他使自己负起了歌颂鼓吹一切旧的历史遗产的任务。在这本《国史大纲》中“引论”之前还有几条他要读这书的人必须具备的几个信念，其中有一条就是“所谓对其本国已往历史略有所知者，尤必附随一种对其本国历史之温情与敬意”。为什么呢？其理由很简单，因为“否则只算知道了一些外国史，不得云对本国史有知识”。这就是说，因为这些历史现象是属于自己本国的，所以应对之保持温情与敬意。这种意思在“引论”以及全书中是随处发挥的。

我们决不否认在本国史中有值得我们给以温情与敬意的因素，但我们并不因为这是属于本国史范围，所以如此，而仍是要从现实需要出发来给以评价的。由现实的需要来看是好的东西，无论是外国的还是中国的，我们都要带着“敬意”去接受；是坏的东西，无论是中国的还是外国的，我们都无妨带着“蔑视”而加以排斥。在中国历史上，虽然有可以敬爱的因素，但这些好的因素正是和那至今还起着牵制我们，阻挠我们前进的坏的因素相伴而行的——后者且较前者大过百倍。所以为了接受那值得敬爱的因素，我们也非和那封建专制主义历史中的主要遗产采取无情地对立、决裂态度不可。我们越是能够这样做，就越能保证我们能够在前进的道路上接受某些历史上的有价值的遗产，加以吸收滋养，而不致传染到联带而来的毒素。同时，我们越是能够彻底克服民族历史中，对当前现实起着负号作用的遗产，那么我们也就越能够对民族前途增加信心，越有把握地从事革旧开新的事业了。

钱穆先生不去弄清楚这一点，所以他又明白说：历史学习的主要目的是在于“求出国家民族永久生命之源泉，为全部历史所由推动之精神所寄”。这更表明了他并不是要从历史研究中去看出国家民族的新的生命如何开辟，而是企图从旧的历史中找到“永久生命”，使之继续生存下去，然则这那里还能有任何一点革新的意义呢？

三

根据什么理由来否认二千年来中国的政治经济文化上的封建专制主义的本质呢？其在历史上看到的“民族永久生命之源泉”，“全部历史所由推动之精神”又是什么呢？

钱先生提出两个根本的看法，第一是说：“治国史之第一任务，在能于国家民族之内部自身，求得其独特精神之所在”，因而他认为，把二千年来的本国史当做是封建专制主义的看法只是强拿西洋史的规律来解释本国史的错误结论；第二是说，“变之所在即历史精神之所在，亦即民族文化评价之所系”，这是说在每个时代都有每个时代的特色，所以不能把“自秦以来二千年”混为一谈。

我们认为，钱先生的这两种看法都值得商榷，但我们承认，这种看法并非无因而发的。假如有人把一般的人类社会的发展规律直接用以解释本国历史，不再具体考察中国历史发展规律的特殊表现；假如有人把两千年中的历史用一个概念，一个公式来笼括了，即不再去具体考察在各个时代的历史发展规律的具体表现，——那就都是错误的倾向。针对这种错误倾向，钱先生的看法似乎很能言之成理，持之有故。但是我们又必须指出钱先生把一民族的特色，一时代的特色，单纯地过分强调，也就造成了另一种同样，甚至更加有害的倾向。

当我们来考察一个民族的历史，中心的着眼点，其实并不是这个民族和其他民族之间的相同处，也不是其间的相异处，而是要实事求是地看出这个民族的历史发展的基本规律。怎样能找出这基本规律来呢？那就要一面就这民族和别的民族的相同处来看，一面就其相异处来看。综合这同与异的两方面，我们才能得到完满的结论。单从同的方面看，我们只能得到抽象的空洞的认识；单从异的方面看，一味专找“独特的个性”，也只能到片面的畸形的认识，因为一个民族异于其他民族的独特之处并不见得就是他的历史中的最基本的要素。

这也正是科学方法的要求。试举一例。如在动物学上研究鲸鱼，我们知道鲸鱼是一种哺乳动物，这就是从鲸鱼和其他哺乳动物的相同处来研究。假如只是从这方面来研究，固然并不能充分了解鲸鱼之为鲸鱼，但假如撇开这些相同处，只看到鲸鱼和别的动物不同之特点，那就只能把它看成是一种不可理解的怪物了。

研究中国历史也正是如此。说中国在秦以后二千年是封建专制主义，这正是一面从它与别的民族的封建时期历史的相同处，一面又从其特殊性来看的结论。有些先生不愿意这样看，他们看到了中国人吃饭用筷子，认为这是特点，文字是单音节的方块字，又认为这是特点，没有宗教信仰支配着政治文化，更认为重要的特点。只从这些与众不同的特点上来看，结果中国历史和中国民族也就成为一种不可理解的“怪物”了。——钱穆先生正是这样做的，他所找到的中国历史的特色是如何可笑而无意义，让我们留到下一节中去讨论。

对于一个民族和别的民族之间，钱穆先生是绝对地强调其差异，而丝毫不注意于类同处的。但对于同一民族历史中的一个时期和别的时期之间，他却认为是可以“于诸异中见一同，即于一同中出诸异”。这说法很好。但是这种同与异的看法何以在观察诸不同的民族历史时就不能用呢？而且既然承认在各个不同时期中可以贯串着相同之点，那么为什么钱先生对于“自秦以来二千年”的说法，要那样坚决反对呢？

钱先生说：“革新派言史，每曰中国自秦以来二千年云云，是无异谓中国自秦以来二千年无变，即不啻谓中国自秦以来历史无精神，民族无文化也，其然岂其然？”——这句话的强词武断，可说到了极点。在我们看来“中国自秦以来二千年”中，就政治上说，固然有分合治乱之变，有中央与地方权力消长之变以及其他种种的变化，但在基本上，是循着封建专制主义的一条路线而发展的。就社会经济上说，固然有盛衰荣枯之变，有土地的分配和租税制度上的变化，以及其他种种变化，但在基本上是一贯地循着以个体的小农经济为基础的封建剥削制度而发展的；就思想文化上说，固然有汉学、宋学之变、有骈散诗词之变，但是基本上是一贯地反映着封建的经济政治生活的产物。这正是实事求是地“从诸异中见一同”，而在“一同”中仍无妨“出诸异”。钱穆先生的反驳实在是完全落了空的，而且正是自己打了自己的嘴巴。

钱先生文中口口声声说，“当于客观中求实证，通览全史而觅取其动态”，但其实他所反对的正是人们从客观的历史发展中找到的历史规律。

四

钱穆先生对于中国历史进展中的特点的看法，在这篇《国史大纲》“引论”中也有很明白的说明，我们试略加以检讨。

钱先生拿来当做中国史的最基本重要的特点的是：“我民族文化常于和平中得进展，欧洲史每常于斗争中著精神。……中国史之进展乃常在和平形态下，以舒齐步骤得之。”

这种说法倒并不是钱先生的独创之见。我们可以从这三方面来说明其谬误。首先这是不合乎史实的。统观全史，和平时期实少，而不和平时期倒多，一部二十四史，充满着对外族的战争，军阀割据的战争，农民叛乱的战争。钱先生自己也承认“中国史上，亦有大规模从社会下层掀起的斗争”，——如从汉末的黄巾一直到近代的洪杨。其次，钱先生虽承认中国史上有斗争，但认为“不幸此等常为纷乱牺牲，而非有意义的划界线之进步”。这种看法是否恰当呢？固然并不是一切斗争和战争都是有意义的进步的表现，但是假如全部加以抹煞，我们也会无从理解历史的真象了。请一读钱先生对于“洪杨”（太平天国）的评价。他说：“夫洪杨为近世中国民族革命之先锋，此固然矣。然洪杨十余年扰乱，除与国家社会莫大之创伤外，成就何在？建设何在？此中国史上大规模从社会下层掀起的斗争常不为民族文化进展之一好例也。”此等说法倘出于满清遗老之口，自无足怪，因为满清统治者立场上看，自然只能把洪杨看做是国家的叛逆，决不肯承认它的伟大意义是在于它是中国民族从长期的封建恶梦中醒过来，自觉地走上近代化的道路的第一声。钱先生既然连太平天国这一个革命斗争的进步作用都不承认，自然更无法理解在这以前的封建社会中的人民斗争了。再其次，钱先生承认在欧洲史上，斗争造成进展，“划界线时期常在惊心动魄之震荡中产生”。欧洲在十七八世纪时的革命斗争造成了近代的资本主义社会，这大概是使得钱先生承认在欧洲斗争有进步作用的原因罢。假如因为中国从没有过像欧洲那样发达完成的资本主义社会，所以以为中国史上的一切斗争都没有进步作用，这倒正是硬把中国史和外国史对比而造成的糊涂看法。这种看法是既不理解外国史，也不懂得中国史。要知道在中国过去的长期封建历史中，一切革命斗争虽都不能冲破封建社会的藩篱，但是在整个封建社会史中，可以看出从最低级到最高级划分成许多阶段，而大规模的农民斗争正是从这一阶段发展到另一个阶段的基本动因。至于近百年的社会固然表现着极多极大的弱点和病态，但仍不能不说它是比旧的封建社会进了一步，而一步步地向前进着。由太平天国开始相继而来的一次斗争也正是进步的推动力量。但照钱先生的看法，就不仅否认了太平天国的进步意义，而且会连辛亥革命，“五四运动”，“五卅”到北伐的运动都一概否定掉。

钱先生的这样看法实应受到严格的批评，因为若依这种看法，中国历史就会成为不可理解的怪物，人们就只能站在《资治通鉴》的作者那样立场上看历史，而中国历史今后进展的道路也就被封闭掉了。

由这种观点出发，钱先生论到中国历史上的政治现象说，中国从秦汉以来不是专制政体，一直是民权的政制，不过“中国政制所由表达民权之方式与机构，与近代欧人所演出者不同”。论及历史上的学术思想，则说：“学术地位常超然于政治势力之外，而享有其自由，亦复常尽其指导政治之责任。”论及中国历史上的社会组织，则曰：向来由于“在上者不断加以节制”的原故，所以社会上并无“甚贫甚富之别”，而从来的土地所有者和佃户农民“实同为国家之公民”，并没有不平的剥削关系。

这种种论调，几乎使人以为是完全不知道旧史料的妄人信口开河。今以饱学如钱穆先生者作此种不顾事实的论调，怎能不令我们愣了一下，其作用究何在呢？后文中再三重复强调说：秦汉以来的政制，学术思想，社会组织都是“适合于我国情的”，所以“若复不明国史真象，妄肆破坏，轻言改革，则必有其所应食之恶果在矣”。后来他又要我们不要对于那历史上的君主官僚主义的政制轻言改革，因为据说是在那里面已经包含着民主精神了；也不要对于那历史上的“富者田连万顷，贫者无立锥之地”的社会关系“轻言改革”，因为据说是在那里面已经包含着平等精神了；也不要对于那历史上在专制统治卵翼下的学术思想轻言改革，因为据说是在那里面已经包含着自由精神了；而且据他说是，因为中国有中国的特点的原故，自由、平等、民主的精神在中国是只能表现在像秦汉以来的那种政制、学术思想、社会组织之中的。这种说法倘在满清末年出现，其必能得到皇家的奖励是无疑的，到了现在，虽也未始没有人加以称扬，但为时岂非已经太迟了吗？

钱穆先生虽竭力主张重视史料，但以上这些论调那里有一点史实的根据呢，所以最后，更只能对历史作玄学的解释了。他说：“西方之一型，于破碎中为分立，为并存，故常务于力的斗争，而竞为四围之斗；东方之一型于整块中为团聚，为相协，故常务于情的融和，而专为中心之翕。一则务于图强为并包，一则务于谋安为绵起。……故西方史常表现为力量，而东方史常表现为情感。……我民族国家精神命脉所系，固不在一种力之向外所击，而在一种情之内在融和也……”于是在这种离开实际的玄谈之中，一部东方史更是完全成为不可理解的玄妙的存在了！

五

以这样的历史认识出发，其对于现实问题的解决方法如何，是已不难猜度到的了。钱穆先生认为历史知识应和当前现实问题有关，这是我们所同意的。因此，不理解现实问题，就一定不能获得应有的历史知识，同样的，不能正确地懂得历史，也就不能对现实问题提出正确的答案来。

《国史大纲》“引论”的最后是直接针对现实问题而说话了。其中说：“今日之中国，显为有病，病且殆矣，万不容讳。”这确已是任何人都不能否认的事。但是病象病因到底是什么？治病的方法又是什么？钱穆先生的判断却完全是落空了的。

钱先生的根本论点是说："一民族一国家历史之演进，有其生力焉，亦有其病态焉，生力者，即其民族与国家历史所由推进之根本动力也。病态者，即其历史演进途中所时时不免遭遇之顿挫与波折也……治史者，必明生力，明病态。生力自古以长存，病态随时而忽起。"又说："生力者，见于全部潜在之本力，而病原则发于一时外感之事变，故论民族国家历史之生存者，贵能探其本而揽其全，而论当前之病态者，则必办于近而审其变。……究生力必穷之最先，诊病况必详之最后。"

更具体地来讲，这就是说：中国现在虽是有病，但这只是一时的忽发的病；在中国内部就有着自身的"生力"可以和这病对抗，而这"生力"却是在历史上自古以来长存着的，从最远古时开始，中国历史就靠着这种生力推进，到了现在仍旧靠这种生力来克复病态。

要找出病态，必须从当前的现实中考察，这是很对的；在一个民族中既有着病态，也同时有着克复这病态的生力，这也是很对的。但问题是，既然病态是在眼前的现实中，何以生力独需求于千年之前呢？钱先生文中批评那种把现在的病态，“一一归罪古人”的说法，讥之为“断狱于唐虞三代之上”。诚然，现在是有人把自己的病都推到古人身上，以为一切都由于祖宗不争气，自己可以不负责任。对这些人而言，钱先生的批评也是对的。但是判断现在的病态，“断狱于唐虞三代之上”固然可笑；而为了克服现在的病态，求生力“于唐虞三代之上”，岂不也是同样可笑么？

其实，就中国近百年史而言，固然随着时代之进展，病态日见严重而复杂，但同时，却也随着时代之进展，在中国内部发育滋长着新生的力量，这种力量正是克服病态而把中国民族引导向真正现代化民生化的道路去的保证。此时此地的病态自然和过去历史上的各个时代的病态并不一样，单根据历史上的病态来看现实的病态还是看不周全的。此时此地的生力更是和过去历史上的各个时代的生力完全不同，只根据历史上的生力来找现实的生力，更是一无是处了。

历史对于现实的关系并不在于历史上的事物可用来代替现实的事物，无论是坏的还是好的事物，生力还是病态，都因为具体的条件的不同而有差别了。但是现在和过去虽有差别，却又是在发展的道路上互相关联着的。因此我们为了理解现实就应该去找出它的历史的渊源。现实的病态是继承历史上的病态而来，现实的生力也是继承着历史上的生力而来。但因为所谓病态是在现实中阻止进步，拉回后退的力量的表现，而所谓生力是现实中引导向新的进步的力量，因此历史的遗产在现实中便常常是更多地表现为病态。尤其是在这病态发生的现在，以前时代的病态留到后来时代中常仍只是病态，而以前时代的生力遗留到后来的时代，甚至也会成为病态。假如把过去时代中生力当做现在的生力，或甚至误把过去时代中的病态当做生力，那就是害尽苍生了！

所以病态并不是“随时而忽起”，而常是有着一定的历史渊源的；生力也不是“自古以长存”，却一定是与时以俱新的。我们从历史中更深刻的认识现实的病态，以求充分了解病象和病因，但这不是把现实的病态都归罪于前人。我们要从现实中明确地把握新生的力量，以求得革新之道，但这不是脱离了过去和现在的历史而平空地谈改革。——这就是我们把历史的研究和现实的问题相互联系的正确关系。要能够做到这样，就必须真正站在革新现实的实践立场上，审慎地用科学方法去透过前人所留下的一切带有各种成见和谬见的史料而了解历史的真象，找到历史发展的规律。一切不能这样做的人，总是会在各种不同的程度和情况下，走到复古派的营垒中去的！

三十三年十月十二夜半

历史能够证明中国不需要民主吗?

一

有人说，中国古代的政治理论是民主主义的，历代的实际政治也是合于民主主义的。对于这种说法我们曾经批评过，并且指出，把那为封建专制主义辩护的理论当做是民主理论，把那封建专制主义的实际政治当做是民主政治，那么其用意无非就是主张保持、复活这种旧的理论和实际政治，而美其名曰：实行民主，实行“中国式的民主”。(见前文,《评钱穆先生的〈教育与文化〉》。)

拿四千年来的中国历史来看，其中并没有任何时期实行过民主政治，这是确定不移的事情。在古代的种种历史条件之下，本不可能有现代的民主。那种拿历史开玩笑，对当前实际有害的主张自然不免于受到一切有识之士的排斥。譬如在《自由论坛》（昆明出版）二卷三期的社论中说："或谓中国传统的政治，自有其民主之成分，中国将自成一独立之型式，造成中国式之民主。持此种论调者，当思半世纪前，我有志青年粉身碎骨以企推翻者，果为何物？如中国传统政治中而果可发挥民治，则国父当年领导政治革命，推翻满清，建立民国，岂不全成无意义之举动？故此种说法之荒谬，不问可知。"又如在《宪政月刊》（重庆出版）上周谷城先生说："或以为中国历来是一个民主国家，他们的言论最足以阻碍民主的进行。中国既是一个民主国家，则今日的民主运动当然为多事，故这一种意见，随便就把民主运动一笔勾销，而成了民主的障碍。我们认为中国一向不是民主国家并不是中国之耻。世界任何国家只要它有民主，都是否定历史上的专制而成。若说一个国家自古至今都是民主的，倒实在歪曲了历史的进化公例。"（该刊第九期）同刊第十期上张友渔先生有《民主运动和复古倾向》一文，详密地指出了在中国历史上并无民主理论，更没有民主政治，指出封建专制者御用的儒家学说不能解释为民主思想，封建时代的专制主义官僚主义的政治更是和民主政治绝对相反，所以他说："我们万不可牵强附会，硬说：中国数千年来的封建的君主专制政治是民主政治，更不可说是中国式的民主政治。因为这会妨碍了民主运动的发展，并惹起全世界的误会。"

但还有一种说法，也是以本国历史为根据，同样要达到在现实中反对民主的目的，但要的是另一套花样。这种说法不是把历史乱加解释，以证明中国过去早已有民主政治，而是老实承认，中国过去的确没有民主政治，但他们说，过去秦汉唐宋历代所实行的虽然不是民主政治，然而是很好的政治，那种政治会造成国富民强，民安物阜的好时代，由此就可证明，中国的情形特殊，要把中国弄好，并不需要民主政治。

很容易看得出来，这种论证也是经不起一击的。首先，一种制度，在从前的种种条件之下纵然行之有效，也不能由此证明到了现在的种种条件之下还能行之有效。而且从前的那种政治是否能说是好的，值得赞美的呢？是不是真的造成了什么值得我们留连回顾的时代呢？除非是站在专制统治者立场上说话，是无从对这问题作肯定的答复的。

我们要指出，根据一部封建专制主义时代的历史，并不能证明中国情形特殊，不能或不必实行民主政治，而且恰恰相反，中国的“国情”也和世界一切国家的“国情”一样，可以证明只有民主政治才能是好的政治，不民主的政治只能产生坏的结果。在中国的土地上并没有任何特殊条件使得民主政治永远不能产生。

二

有人说，中国古代早已有了最好的“政治哲学”。比起“中国的政治哲学”来，什么孟德斯鸠，什么卢骚，都是不值得理会的了。

所谓“中国的政治哲学”是什么呢？说来说去，原来不过是什么《大学》中的“八目”，《中庸》中的“九经”。

所谓《大学》中的“八目”又是什么呢？大家都知道，那便是“格物”，“致知”，“正心”，“诚意”，“修身”，“齐家”，“治国”，“平天下”那一套道理。据这篇在科举时代，蒙童们必须念得滚瓜烂熟的《大学》中说：“古之欲明明德于天下者，必先治其国；欲治其国者，必先齐其家；欲齐其家者，必先修其身。”等等。这就是说，一个人把自己的一身修养好了，就能把自己一家弄好，能把一家弄好，就能治国平天下了。我们且不问这所说的“修身”“齐家”“治国”“平天下”的实际内容是什么，只看，凭这样简单的逻辑而能把现代的国家大事做好，那是连说给小孩子听也不能相信的。

所谓“中庸九经”的内容也差不多。《中庸》上说：“凡为天下国家有九经，曰修身也，尊贤也，亲亲也，敬大臣也，体群臣也，子庶民也，来百工也，柔远人也，怀诸侯也。修身则道立，尊贤则不惑，亲亲则诸父昆弟不怨，敬大臣则不眩，体群臣则士之报礼重，子庶民则百姓劝，来百工则财用足，柔远人则四方归之，怀诸侯则天下畏之。”这更显然的，不过是在向专制君主说，你应该好好地任用你的臣下，你对人民应该像对儿子一样地慈爱，你对你的本家和姻亲也要多给他们点好处，不要使他们抱怨。（“尊其位，重其禄，同其好恶，所以劝亲亲也。”）到现在，假如还以为这些就是一个国家的内政方针，以为“来百工”就是经济财政政策，“柔远人”“怀诸侯”就是外交政策，那岂不是滑稽而荒唐的事么？

自然，这些“八目”“九经”的“政治哲学”是无法附会为民主主义的。而事实上，这些也正是在封建专制时代产生和发扬的。封建时代的士大夫拿这套“哲学”来劝谏帝王当做进身之阶，专制统治者也乐得用这套“哲学”来粉饰和美化专制统治的秩序，来欺骗和蒙蔽被统治的人民。

假如帝王真正照这套“哲学”所要求的这样做了，他在封建专制时代自然要算是一个好皇帝，但专制政治还是专制政治，是否就能达到国泰民安的目的，也还是个问题。而且事实上，历代统治者尽管是宣传这种哲学，其实并不真根据这套“哲学”做。

说“修身”吧。历史上有几个皇帝不是穷奢侈汰，纵欲淫乱的呢？（所以偶有如汉文帝，隋文帝那样“节俭自守”的皇帝便要被歌颂不已了。）又有几个时代在官僚集团中不是充满着逢迎苟且，贪污腐化等等现象的呢？（所以偶有所谓政风整饬的时期便要被目为千载难遇的盛事了。）说“齐家”吧，那么专制统治者的家恰恰是最不“齐”的。只有“亲亲”倒常是做到了的：宗室都是封侯袭爵，外戚也都位尊禄重。但是在这“皇家”里面，纷乱冲突的事情也最多。或外戚擅政，或母后窃权，有儿子杀掉父亲的（如隋炀帝），有嫡庶争位，兄弟互相杀害的（如唐太宗，明成祖）；有兄弟叔侄之间大兴干戈，引起巨祸的（如汉代七国之乱，晋代八王之乱）。皇家的内幕常成为写宫闱秘史的稗官野史的好材料，这些在我们看来，固然不是什么重要的历史现象，但也正可证明统治者的“齐家治国论”原来不过是说来骗人的。

至于“治国平天下”更常是只存在于士大夫的幻想中的景象。这种幻想倘若实现，也不过是有一个比较善良的皇帝在上面，他能暂时地调节并缓和各种矛盾，使一切有资格做官的人都有官可做，使“庶民”，“百工”都能为奴为婢，安居乐业。但这种“好景象”在绵延二千年的封建专制主义时代中也只是偶一出现。实际的历史是继续地循着“一治一乱”的规律前进，而乱时总是比治时长得多。假如以为在古代有着这种“好的政治哲学”，就可以证明古代一向有着好的政治，或者以为只要现在恢复这种“好的政治哲学”，就能够实现“治国平天下”的黄金时代，那都不过是痴人说梦而已。

让我们来看看封建专制主义时代的实际政治是怎样的。

三

虽然也有人称颂乾隆六十年的“开疆辟土，治国安民”的伟绩，也有人把蒙古的拔都西征当做是中国民族的光荣，但是究竟无法否认元、清二代是异族在中国的专制统治。歌颂传统政治的人，既不便公然赞美异族的“治绩”，便想拿这两代的情况为例以证明中国的文化优越，能够同化异族，这不过是阿Q心理的表现而已。

那么撇开元清二代，去看看宋明两代吧。传统政治歌颂者也还是难于振振有辞的。这二代都是力求强化中央的集权统治，但强化专制统一的结果，却只得到国弱民乱的现象。在宋朝是始终对外族的侵略委曲求和，弄到偏安江左，还向侵略者纳币称臣，自居藩属。在明朝初年则困于北虏南倭，国无宁日，继则在一个初兴的满洲部族前，节节败退，终于亡国。在宋代的专制政治下，养成了蔡京，秦桧，贾似道一类的奸人当政，弄得朝政紊乱，民情怨愤。在明代的专制政治下，实际权力更落到了目不识丁的太监手里，宵小当朝，贤能去位，酷吏横行，民变四起。这一切是任何人无法为之掩饰的。

固然在这些朝代中，也曾一时有过振作有为的气象，像宋神宗之任用王安石，励行变法。但王安石的变法并没有刷新宋朝的专制政治，这正是因为他的革新的办法，不能根本打破朽败的封建统治秩序，所以总是无济于事的。

所以歌颂传统政治的人也不得不让步说，中国的政治哲学虽然很了不起，但是近一千年来的实际政治却的确是不大高明，要看到中国传统政治的成功，应该到一千年以前去找。——于是他们就找到了汉代和唐代。

但假如把整个汉代和唐代的历史都当做优美政治的典型，那却是连这些歌颂者们自己也不敢承认的吧。汉代有外戚母后宦官迭相擅政，唐代后期的百余年间也是宦官执掌军权政权。汉代有党锢之祸，闹了几十年，唐代也有朝臣间的朋党之争，结果总是小人道长，君子道消。汉唐二代都以武功强盛被称于史，然而两汉的国力强盛为期甚短，很快就在对外战争中消耗殆尽，东汉的羌人以乌合之众起事，竟至动摇国本。唐代在中衰后甚至邀请异族兵力来平内乱，以致听任回纥吐蕃纵兵盘据国都。汉代的中央集权不久即趋涣散，形成了各州牧和郡太守的拥兵割据，唐代经安史之乱后也造成藩镇割据的形势，中央政令，限于一隅。——这一切显然都是封建专制主义的病态的暴露，而在两汉的四百年，和唐代的三百年中一大半时期都在这种局势下过掉。这使得传统的礼赞者又不得不再度让步，使他们礼赞的对象只限于汉代的武帝以前的一百年间和唐代的贞观以后的一百年间。

就让我们承认这两百年的确是“黄金时代”（？）吧，但是在封建专制主义绵延两千多年中，充其量也只得十分之一时期的好光景，这有什么值得夸耀的呢？

夸耀汉唐的人无非是说，在那时，有过“国富兵强”的时期。但我们必须进一步来看一下那时的所谓“国富兵强”的实际情形，到底怎样。

于是我们就可以看到，这所谓国富兵强是建筑在千百万农民大众的血汗之上的。汉代开国以后，加在农民身上的国税是田赋和口钱算赋（人口税）。田赋名义上是十五分之一乃至三十分之一，但“厥名三十，实什税五”（《食货志》）这就是说实际上农民的负担是百分之五十。人口税从三岁起就要开征，弄得“民重困，以致生子辄杀”（《汉书 · 贡禹传》）。此外还有种种杂税和临时税，如诸侯王入朝时征“献赋”，皇家建造宫室，对外发动战争时也要抽特别税，牲口也要抽税，“赀及六畜”。再加上豪强的兼并，官吏的贪酷，所以到了武帝之世，农民失去土地、辗转流离、卖身为奴的已经很多了。武帝时，进行对外战争，就大量地征发这些奴隶和囚徒（亡命）去组成军队，甚至为了西域的几匹名马，就使十万人葬身于大漠中。这就是汉代的国力富强之下的实况。唐代也是同样。开元盛时的诗人已经说破了长安城里的繁华富贵的内幕是“朱门酒肉臭，路有冻死骨”（杜甫），也指出了“天可汗”的威风不过是“士卒涂草莽，将军空尔为”（李白）。原来封建专制主义是从全国各地分散的农民大众身上用强制方法聚敛了粟帛和劳役，集中起来，构成了一时的富强；整个统治机构淹没在全国贡赋的积累中安富尊荣，自然免不了一天天腐化下去，而同时也就不可免地在自己的内部造成了敌对的因素和混乱不安的危机了。这就是武帝的“雄图大略”已埋伏下后来的汉室衰微的根子的原故，同样这也是开元天宝之际，唐朝国力虽臻极盛，但禁不起“渔阳鼙鼓”的一击，立刻如冰山一样颓坏的原故。好像是急转的舞台面一样，“国富兵强”的黄金时代在一转瞬间就变成了内忧外患的场景，这难道是偶然的吗？这岂不正是证明，寄生于人民的供养上，站在和人民敌对地位上，封建专制主义的富强是靠不住的！

固然我们可以承认，文景之治（汉文帝景帝），贞观之治（唐太宗）算得是封建专制主义政治的最高楷模。但不论我们可以对此举出多少优点来，它们终究只是专制主义政治，不能真正使万民安康，也不能克服在统治机构内部滋长起来的腐烂毒害自己的因素。我们应该从一定的历史条件上来给以估价，却不能像那些妄人一样，以为唐太宗型的政治，就是实际政治中的最高理想。

四

反对民主政治的人常说，在民主政治下，不能产生强有力的、统一的、稳定的政权。

假如民主政治不能产生这样的政权，难道不民主的政治倒能够有这样的效果么?

拿现代的各国政治看，德国、日本的法西斯统治政权固然似乎曾一时地表现为统一、稳定、强有力。但是到了现在，任何糊涂的人也不能不看出来，在这种强制执行的统一和稳定中是已埋伏着激烈的涣散瓦解的根子了。这种和人民的意志相对立的权力结果总不免于全面的崩溃。

拿历史来看，历代封建专制主义政权的命运也正是证明着，在不民主的政治下，是最不稳定的，最易于涣散分裂的，最没有力量承受艰危困难的锻炼的。

谁能说秦始皇所建立的政权，是一个稳定巩固的政权呢? 虽然当时他自以为是万世不坏的帝业。西汉时人描写秦的政治说:“任不肖而信谗贼，宫室过度，嗜欲无极。民力疲尽，赋敛不节。矜奋自贤，群臣恐谀。骄溢纵恣，不顾患祸。妄赏以随喜意，妄诛以快怒心。法令烦憯，刑罚暴酷，轻绝人命，身自射杀，天下寒心，莫安其处。奸邪之吏，乘其乱法以成其威，狱官主断，生杀自恣。上下瓦解，各自为制。秦始乱之时，吏之所先侵者贫人贱民也，至其中节所侵者富人吏家也，及其末涂所侵者宗室大臣也，是故亲疏皆危，外内咸怨。离散逋逃，人有走心。陈胜先倡，天下大溃。”（晁错的《贤良对策》）——这所描写的秦代情形可以看做是在封建专制主义政治下一般表现出来的病态和必然达到的结果。汉代秦而兴，虽然国祚绵延四百年之久，但也经常在不稳定的危机中动荡着。上引晁错的话正是引了秦代的先例作为警戒的。

晁错上书在文帝时，其时上距汉开国已五十余年，还算是政治清明向上的时期。但是就在那时，眼光比较深远的人已看到潜伏的危机了。当时还有贾谊也在向皇帝的对策中直说道：“进言者皆曰，天下已安且治矣，臣独以为未也。曰安且治者，非愚即谀，皆非事实知治乱之体者也。夫抱火厝之积薪之下而寝其上，火未即燃，因为之安，方今之势，何以异此！”这譬喻是非常贴切的。专制主义的统治政权正是经常睡在埋伏着火种的积薪之上的，当火还没有烧近身体的时候就叫做“治平之世”，一旦烧到了跟前就叫做乱世了。

贾谊上书中提出了当时事势中“可为痛哭者一，可为流涕者二，可为长太息者六”。综合他的意思，其中最主要的其实是两点：第一是诸侯王国的分裂的危机，第二是社会中上层的骄奢淫逸，下层的饥寒冻馁，他说：“饥寒切于民之肌肤，欲其无为奸邪，不可得也。国已虚矣，盗贼直须时耳。”他又指出，当时匈奴的力量不过当汉一大县，而汉竟不能制，这自然是因为内部危机大大减弱了其对外力量的原故。

专制主义者虽然力求把一切权力都集中控制在一人之手，但在统治集团内部的分裂却永远无法根本消弭。汉初期分封子弟为诸侯王国而造成的危机，用贾谊晁错诸人的献策算是削平了，可是在统治集团中的内部矛盾以后仍在别的形式下更激烈地表现了出来。其他历代也无不深受这种危机的侵袭。无论是皇室中嫡庶的争立，或是后妃与外戚的夺政，或是朝臣中的朋比倾轧，都是这种危机的表现，都是在统治集团内部这一部分力量与另一部分力量因分割与争夺权利，而形成了尖锐的纠纷不清的斗争。最表现得裸骨的便是军权的分散和地方的割据了。如汉代末期的州牧与郡太守，唐代末朝的镇节度使，虽然名义上还承认中央政府，但已势成敌国，终至形成三国和五代十国的分裂局面。由此可见，专制主义政治想在帝王一人的名义下维持向心力于不坠是做不到的；在统治集团内部都不能形成真正的统一，这政权怎能稳定呢?

而且，专制主义政权的成立本是以剥削全国人民的血汗为基础，则其与人民间的对立更是无法消除的。纵然用所谓爱惜民力，行施仁政的方法，也解决不了问题。汉代虽有轻徭薄赋之名，不过使大地主大商人得到便宜，对于农民并无好处。满清时也有过不加田赋的预约，但农民实际负担仍是一天天地加重。这种情形自然造成了人民对于统治者的敌对的情绪，使人民对于国家通过了官僚机构而发动的任何事情都不能发生兴趣。专制统治者的一切政令与措施既不为人民的利益打算，在实际执行中更常常是扰民害民，自然是不可免地遇到人民的消极怠工和破坏，因此专制统治者的政权也就更加不能稳定与巩固了。

专制统治机构的腐败和它内部的涣散对立的危机，使得它在一遇到突发的事变时，总是无力应付。所谓突发的事变，最严重的便是水旱灾和外寇的入侵。人们常说，中国封建时代之所以需要统一的政权是为了从事两大工作，第一是治河防灾，第二是防止外寇。是的，这两件都是大事，是和人民大众有切实利害关系的，也可说是和专制统治政权生命攸关的。但是历代的专制统治者是否能把这两件事做好呢?

在古代的技术条件下，绝对消除天灾对农业的危害，固然难以做到，但是以剥削农民为生的专制统治者和腐败贪污的官僚机构不但不能减轻天灾的为祸，反而是更把它加深了。治河虽列入历代的要政，但河工却成为官僚们发财的好差使。结果河自然永远治不好，而一遇灾祸，立刻就弄到不可收拾了。

历代入侵的异族武力其实并不是拥有绝对优势的武力。中国方面之所以常常失败不能不归咎于政治上的弱点。宋明两代是最为明显了。契丹、女贞、蒙古、满清之所以得逞，宋明之所以放弃许多能战应战的良机，自甘屈辱，步步妥协，实在是因为专制统治者顾全自己的地位更甚于要打退外寇的原故，也因为官僚机构内部因循拖沓，排挤倾轧的原故。譬如宋朝在南渡以后，以韩岳军力和北方民军的力量未始不能一战，而且当时的战局已开始有转机了，但是宋当局仍为了贯彻中央集权的目的，宁可杀岳飞、罢诸将兵权、斥民军为寇盗，卒至自趋于亡国的道路。明末熊廷弼、袁崇焕诸将以少数兵力守边，满洲已不得逞，然而结果呢，将才被黜，边防空虚，宁赠外邦，不与家奴，开门揖盗，造成了三百年亡国的惨祸。

不能逃天灾，就失去了富的保障，不能御外寇，就谈不到强大。由此，怎能说专制政治能够形成富强的国力呢?

五

还有人提出一种说法：不管民主政治怎样好，在中国却实行不了民主。因为民主是要人民来管理国家，做国家的主人，而由历史可以证明，中国人民向来是忍苦耐劳，并不愿意过问国家大事，而且中国人民向来是无知无识，也没有能力管理国家大事。假如让他们来管事，就不免于出乱子。

这实在是对于中国人民的极不公平的估计。

在封建专制主义时代，究竟是人民自己不愿意去过问国事呢，还是人民得不到过问国事的权利呢？是人民没有能力管理国事呢，还是人民没有机会练习管理国事的能力呢？——这问题是清清楚楚的。

历代封建专制主义者都在“民可使由之，不可使知之”的政策下用愚民教育，奴才教育来愚弄人民。秦始皇焚绝了天下藏书以愚黔首，满清的皇帝颁布“圣谕广训”来麻醉人民。他们又在实际政治中压制人民的活动，使人民没有一点政治权利。政治被认为只是士大夫做官的事情，老百姓是没有份的。魏晋以后至唐初，只有高门大族的人才能做官。科举制度实施时，虽然好像是人人都可应考，考中就可做官，但是实际上，不仅有许多下层社会的人根本没有应考权利，而且在当时，读书入学必须脱离生产，十载苦读，也决不是一般老百姓家庭所可能做到的。——在这种情形下，人民当然无从过问国事。

有许多人说：能“忍”是中国人民的优美的品德。忍苦耐劳固然可说是一种美德，但也不能由此得到结论：所以中国人民的生活无须改善。更假如把这一点夸大，把中国人民忍受专制政治的压迫也当做优美的品德而夸扬，那就更不对了。因为这其实应该看做是一种缺点，这缺点的产生是因为人民一向过的是分散的个体劳动的农村经济生活，更加上了专制统治者的愚民教育和压制政策，所以在人民中就培植出了这种安分守己，少管闲事的态度了。由此可见，这种缺点虽是有的，但并不是天生的，不可改变的性质，更不该把缺点当做优点来捧场，以为还要发扬光大。

但就是在封建时代的经济生活和实际政治中，人民也并不是永远逆来顺受地容忍一切的，他们对于所身受的苦虽也会表现出一些反拨的行为。这种反拨行为纵然只是向钦差大臣的“拦舆告状”吧，也说明了人民对于政治不是没有意见的，不是没有过问政治的要求的。“告状”是专制统治者唯一允许人民表示意见的方式，虽然人民从实际经验中知道“官官相卫”，“与虎谋皮”，而且会“惹祸烧身”，但也还常常冒险通用这种方式。

超过了统治者所允许的方式而作过问政治的表示，这在历史上也并非偶见。如在北宋钦宗时，抗金有功的李纲种师道被罢免，主和求降的李邦彦等居高位，人民就起来表示意见了，宋史有这样一段记载，虽是简略，但也可见如火如荼的场面：

> 太学生陈东等及都民数万人伏阙上书，请复用李纲及种师道。且言李邦彦等疾纲，恐其成功；罢纲正堕金人之计，会邦彦入朝，众数其罪而骂。吴敏传宣，众不退。遂挝登闻鼓，山呼动地。殿帅王宗濋恐生变，奏上勉从之。遣耿南仲号于众曰：已得旨宣纲矣。内侍朱拱之宣纲后期，众脔而磔之，并杀内侍数十人。乃复纲右丞，充京城防御使。

由此可见，虽是在封建时代，一到国事最危急时，人民也要自动出来过问国事了。他们有他们的是非判断，有他们的主张，并不真是一切俯仰随人，听凭在上者的一意孤行的。由这种方式更进一步，就是历代的所谓农民叛乱了。历代农民叛乱虽然往往套着宗教迷信的外衣，但总是含着一定的政治内容，尤其明清两代的农民叛乱更是明白地标出了政治主张。由这些事例更不能证明中国人民向来是不愿过问国事的了。

至于说，人民有能力管理国事。在全部历史上，人民既然从来没有得到过参与政治权利的机会，更从来没有站到过管理国家的地位上，那么这段历史怎么能拿来测量人民管理国家的能力呢？

在李自成进了北京城以后，在太平天国建都南京以后，都可以算是在封建时代人民自建国家的试验。假如由这些试验的失败来证明人民没有管理国家的能力，那是不公平的。是的，这些试验是失败了，但是应该看出，这种人民队伍是由封建社会中的农民组成，并由农民中产生自己的领导者的，所以它就虽以避免游民浪人在它内部所起的破坏作用和城市对它所起的腐蚀作用，而当这些危害它的作用逐渐增高的时候，它在组织上的散漫性，行动上的破坏性，和缺少远大方针与具体计划的现象，也就更加突出了。所以在历史上人民的失败倒可以反证，当人民队伍组成的分子及其领导成分有了变化的时候，他们就能够做得更好，做得成功。

而且即以封建时代来说吧。纯粹由农民自动组成的军队和国家纵然有着种种缺点，但是比起封建统治者的雇佣军队和官僚机构，我们很难说，前者一定不如后者，相反的，我们可以看到，这虽然是农民的自发的行动，但仍常能保持内部的纪律，组成庞大的队伍，运用灵活的战略战术，并用适当的口号和方式来团结人民，尤其是太平天国的各种政制文物，更充分表现出了中国人民在政治上的创造才能。——这些实在是中国封建时代人民所创造出来的奇迹。

所以，从过去时代的中国历史中，仍可以证明中国人民是愿意而且有能力参与政治生活的。历史是严格地拒绝为找寻反民主的理由的人做证人的。

一九四四年十二月

什么是世界文化的危机

一

胡适之先生在一九二六年写过一篇《我们对于西洋近代文明的态度》，一开首便说：

> 今日最没有根据而又最有毒害的妖言是讥贬西洋文明是唯物的（materialistic），而尊崇东方文明为精神的（spiritual）。这本是很老的见解，在今日却有新兴的气象。从前东方民族受了西洋民族的压迫，往往用这种见解来解嘲，来安慰自己。近几年来，欧洲大战的影响使一部分的西洋人对于近世科学的文化起一种厌倦的反感，所以我们时时听见西洋学者有崇

拜东方的精神文明的议论。这种议论本来只是一时的病态的心理，却正投合东方民族的夸大狂，东方的旧势力就因此增加了不少的气焰。

所谓“精神文明”，其实就是指东方古代的——更正确地说，是封建主义时代的——文化，这种文化在一遇到比它较进步的西洋近代的——更正确地说，是资本主义时代的——文化时，就不可免地打了一个败仗。仗虽然打败了，但正如适之先生所说，卫护这种文化的旧势力只要在实际生活中一天没有完全死亡，自然是一天不肯“甘拜下风”的。所谓“西洋近世的科学文化”——资本主义的文化，比了古代封建的文化，固是更进步的，然而它也并不真是十全十美、如那些最初把西洋文化介绍到东方来的人所设想的那样。随着资本主义社会在经济上的成长、成熟，以至腐烂，所谓近世科学的文化也充分表现出了其内部的败坏腐烂，从内部生长起来了阻止自己更向前进步发展的因素。这本来不是到了一九一四——一九一七年的欧战中才能使人看见，但那次帝国主义的混战和其结果却的确使本来已经开始败坏的资本主义文化更趋向崩溃，使有些本来衷心信任资本主义文化的人也发生了怀疑动摇。这就使那些“东方精神文化”的遗老遗少蓦然感到精神百倍，以为“西洋科学文化”的没落正是证明，绝对永远的价值还是属于东方的精神文明。

但是，无论资本主义的科学文化内含着多少的破绽与自我否定的因素，并表现出了崩溃的趋向，但是从整个人类社会的文化发展史上看，它还是比封建时代文化更进步的。从资本主义文化的没落中，只可以使我们看出，原来它并不是人类文化发展的极峰，通过了它，人类文化还要走到更高的山峰上去。只是由于看不见更高的山峰，更不敢去追求这更高的山峰，在西方资本主义文化世界内的有些人，在发觉了自己这个世界的不可靠性的时候，徘徊无主，悲观绝望，便回过头来，企求从东方古代的封建文化中获得安身立命之所。这种现象的产生，只不过是资本主义文化没落崩溃时期的一种最突出的表现而已。

事实也很明显，从前一次世界大战以后，又过了二十多年，东方的“精神文明”并没有能行于世界，就是在东方，也并没有能复活。封建文化衰，资本主义文化兴，资本主义文化衰，封建文化复兴，社会文化的发展进程绝不是遵循这样的简单循环的逻辑的。在这二十多年中，一种超过了资本主义范畴的新的文化是已在大地上以雄伟的姿态而出现了。这个事实固然给那还是继续死心塌地地相信资本主义文化的绝对性的人以新的震动，更是给那向后退却，想从古代封建文化中找到乐园的人以大的打击。

在这时候，又一次世界大战发生了。

由于战争中的整个世界的形势已经完全不同于前一次世界大战，这一次战争在文化上的意义也更是复杂得多。但是不可否认的，资本主义文化在法西斯野兽的身上是遭遇到了由它自身内部产生而又无法加以克服的大敌，通过这次战争，资本主义文化是经历着一次更严重的危机。

因此，在这时候，假如我们隐隐约约地又从西方听到了怀疑所谓“近世科学的文化”，追崇东方的精神文明的议论，我们是丝毫也不感到奇怪的。假如我们又在我们周围发现有许多人以为现在是真正到了东方的精神文明将如奇迹似地复活的时候，我们也是丝毫不感到奇怪的。因为这些如适之先生在二十年前所说的“妖言”的再度出现，除了足以表现那种“旧势力”还有残存以外，是没有任何其他意义的。

所以，在我们来对于这些老“妖言”的新化身略加检阅与分析的时候，说实话，我们是不能不感到味同嚼蜡之苦的。

二

郭任远先生在今年（一九四四年）一月，在重庆发表了一个公开演讲，题目是“世界文化之危机”。从这题目看来，这个演讲应该是很值得注意的。但题目中虽然是“世界文化”，实际上却是讲的“西方文化”的危机。而且在这演讲中一开首他就声明他是根据“最近两年在欧洲的英国与美国所看到的”情形而立论的，因此其所谓“西方文化”主要的又只是指英美而言。他首先指出他所看到的一个事实说：

> 世界文化，在这次大战没有发生以前，已经比过去差得很远了。我们看看西方最伟大的人才，不是产生在二十世纪，而是产生于十九世纪或十八世纪。最近几十年，除了工程医学以及其他实用科学及自然科学外，无惊人发展。所以从文化立场来说，二十世纪欧洲产生的人才，千万比不上十九世纪与十八世纪。……不仅是音乐家，文学家，思想家，不及十九世纪与十八世纪，就是图画家，也比不上十九世纪。

这个说明，就资本主义文化的范畴内讲，大体上是可以成立的。虽然我们也应该看出，从二十世纪的资本主义的文化中，并不是绝对没有产生杰出的人才。不过他们是作为资本主义文化的反对者而出现的，如罗曼罗兰，只有这样的人才是杰出的人才，这自然是更证明了资本主义文化的衰颓。那么我们就请问，这种向下衰颓的现象是由于什么原因而产生的？

对于这个问题，郭任远先生是也给了答复的：

> 从文化立场，说二十世纪产生的人才不及十九世纪与十八世纪，其原因何在？科学太发达，尤其是实用科学发展得太快，譬如美国，拼命在物质上求进步，并求量的加多。最近同美国学术界讨论世界文化，我说：现在不管是音乐也好，文学也好，都是商业化。……文化商业化以后，就是不打仗，已经很难产生伟大的人才，再者加以战争的摧毁，当更低落。

这一段话可以代表全篇的内容。他所指出的文化的危机，除了由于战争的直接破坏以外，就是，第一，科学，尤其实用科学太发达，第二，文化商业化。

但也还有别人提出别种说明的。譬如有人认为“西洋文化”本身含有“侵略性”，这便是西洋文化的危机所在。这种议论很容易看到，我们随便举一个例：

> 西洋文化根本就带有一种积极侵略的性质，所以由此种文化生育而出的国家，也带有浓厚的侵略性。……我们试看文艺复兴以来的

侵略史，自人的观念发现后，即揭穿了基督教的黑幕，打倒了封建贵族的专横，宗教革命，地理发现，民权革命，工业革命等，一幕一幕的热剧，赓续地演出，空间被他们缩小了，时间被他们缩短了，整个亚非大陆，在十九世纪一百年内，被他们瓜分净尽。但有限的地球餍息不了他们侵略的野心，而且各种侵略哲学的流行，政治的演变，经济的发展，使他们更不能不互相火并，于是第一次大战的剧幕揭开了，到现在创伤未复，又掀起第二次世界大战，这大可领略西洋文化积极进取的侵略精神。

又有人认为西洋文化的危机是在于它只知道物质，物欲，而忽视了，抹煞了精神。我们也举一例：

文艺复兴虽完成了“人也非神之罪人，人也非教会的奴隶”的工作，但文艺复兴却把人变成了物质的奴隶，私欲的婢仆。……物质不过是宇宙中最低级的现象，文艺复兴以后的科学家哲学家，却拿来解释高级的社会人生，愈解释去真理愈远，真所谓“知天而蔽于人”，尤为甚者科学成为了现代战争的利器，机械发明变为满足私人及国家侵略欲望的辅助工具。总之，西洋文艺复兴以理知探出了物质世界的秘奥，这伟大的成绩固当永留在人类文化史上，但西洋文艺复兴所发生的流毒，却也存留在现代世界中，受物欲驱遣的科学战争，正危害着全人类生命的安全。

这点大概可算是这些先生们在分析“西洋文化”的罪恶，从文化本身中找到的最后的根源。他们认为，西洋文化的根本毛病是太重视物质了，所以西洋文化只表现为物欲私欲的追求，也便因而富于侵略性了。“科学的发达”与“文化商业化”这些“病象”，大概也是被溯源于此的。

所以这种说法仍不过是二十年前胡适所指出的“讥贬西洋文明是唯物的”那种老调的重弹。

三

在前引文中，胡适之先生抨击这种“妖言”，他所提出的有些论点，是合理的，譬如他说：“我们深信，精神文明必须建筑在物质的基础之上。”他认为，所谓“西洋文化”固然在“物质文明”上有其建树，但这决不足以证明它在“精神文明”上的退化。他有这样的一些说明：

> 我们可以大胆地宣言：西洋近代文明绝不轻视人类的精神上的要求。我们还可以大胆地进一步说：西洋近代文明能够满足人类心灵上的要求的程度，远非东洋旧文明所能梦见。在这一方面来看，西洋近代文明绝非唯物的，乃是理想主义的（ideolistic），乃是精神的（spiritual）。
>
> 我们先从理智的方面说起。
>
> 西洋近代文明的第一特色是科学，科学的根本精神在于求真理。人生世间，受环境的逼

迫，受习惯的支配，受迷信与成见的拘束。只有真理可以使你自由，使你强有力，使你聪明圣智；只有真理可以使你打破你的环境的一切束缚，使你戡天，使你缩地，使你天不怕，地不怕，堂堂地做一个人。

求知是人类天生的一种精神上的最大要求。东方的旧文明对于这个要求，不但不想满足它，并且常想裁制它，断绝它。所以东方古圣人劝人要“无知”，要“绝圣弃知”，要“断思维”，要“不识不知，顺帝之则”。这是畏难，这是懒惰。这种文明，还能自夸可以满足心灵上的要求么？……

文艺美术，我们可以不谈，因为东方的人凡是能睁开眼睛看世界的，至少还都能承认西洋人并不曾轻蔑了这两个重要的方面。……

十八世纪的新宗教信条是自由、平等、博爱。十九世纪中叶以后的新宗教信条是社会主义。这是西洋近代的精神文明，这是东方民族不曾有过的精神文明。

在这些话中间，胡先生所讲的“西洋近代文明”其实也只是指近代资本主义的文明。这些话，就其指出“西洋近代文明”是远超过所谓“东方文明”这一点上说，是完全对的。我们也认为，“西洋近代文明”之所以超过东方文明，绝不只是在于物质生活的改进上。如胡先生所指出来的科学与民主这二者，的确是所谓“西洋近代的精神文明”的特长，二者贯彻在所谓“物质文明”之中，又以那种社会物质生活为基础。这种精神文明确是东方民族从来不曾有过的。

但是对于胡先生的那些话，我们又不能完全同意。因为他只是看到“西洋近代文明”高过“东方文明”这方面，却没有看到“西洋近代文明”本身所包含着的破绽，矛盾，以至腐败堕落的倾向。虽然他的文章中也提到，“从十九世纪以来，个人主义的趋势已渐渐暴白于世了，资本主义的苦痛也渐渐明了了。远识的人知道自由竞争的制度不能达到真正自由平等博爱的目的”。但是他还是以为从资本主义内部仍然可以有脱胎换骨，更生复兴的能力，他所指为“十九世纪中叶以后的宗教信条”的“社会主义”其实只意味着一种在资本主义范畴内的社会改良政策。他看不出来，资本主义文化已经走完了他的发展的最高峰，已经不可挽回地一步步走着下坡的路了。

资本主义文化建筑在私有财产与雇佣劳动剥削的制度之上。当这种制度内部的社会矛盾愈加展开，愈加明朗化的时候，资本主义文化也就必然渐渐走向萎缩反动的方面去。科学曾经是资本主义文化中一个积极的因素，但是渐渐地，对于资产阶级，追逐利润的目的压倒了追求真理的目的；民主也曾经是资本主义文化中的一个积极的因素，但是渐渐地，对于资产阶级，在加强资本统治的现实努力下自由平等博爱的口号完全褪色了。在资本主义文化范围内，二十世纪产生的人才，比不上十九世纪十八世纪，这事实也无非是它在文化上的自我萎缩的一种表现。

我们指出这点与胡适之先生不同意的地方，丝毫不是为那些讥贬“西洋近代文化”鼓吹东方精神文明的人张目。因为这些先生虽然似乎近于事实地指出了资本主义文化中的一些缺点，但他们其实并不懂得真正的危机到底在何处。胡适之先生所指出来的一方面，他们根本忽视了；而胡适之先生所看不到的一方面，他们也同样是看不到。

由此，我们就可以来检阅一下在前节中所介绍的那些论点。

固然，拿追逐利润的目的来掩盖了全部文化活动，这是资本主义文化没落的一个征象，但这并不是唯物论思想的结果，而是资本制度所造成的现象。事实上，欧洲资产阶级在思想文化上比较地接近唯物论思想的时候倒是它初兴和向上发展的时候，如在十七、十八世纪，它在思想上以培根、斯宾诺莎、霍布士、笛卡儿、百科全书派等不同程度的唯物论者为代表。那时，正因为资产者还敢于在某种限度内接受唯物论，还敢于向客观现实追求真理，因此，也才能产生如胡适之先生所歌颂的那种科学与民主的精神文明，到了资产阶级向下发展和没落的时期，他们更加局限在实际的个人主义的利害打算之中，也就更加远离了客观的真理，同时也就更加违背和放弃了唯物论思想。

反对唯物论，甚至反对理性的思考，在思想文化的一切部门走入主观唯心论，神秘主义，直觉主义，这是最近五十年来资本主义文化急激堕落的一个显著象征。这种堕落倾向也侵入自然科学部门，以致使资产阶级违背了那曾经是它的骄傲的实证科学的根本精神。有些自然科学家在日益精微地对物质进行分析中却宣布了物质的不存在，有些自然科学家承认宇宙间有不可知的事物的存在，他们相信精神的独立存在，相信鬼，相信神，向宗教信仰表示投诚，并转而乞灵于中世纪的扶乩、占星术等等。这些正是在资本主义制度下的科学的危机。离开唯物论也就是在科学理论上宣告败北。

所以我们应该指出资本主义的危机完全不在于它重视物质，而恰恰相反，倒在于它背离了客观的物质，而去探索那不可知的精神，甚至于想回头去乞助于欧洲中世纪和东方的“精神文明”。

那认为西洋文化的危机在于它“根本就带有一种积极侵略的性质”，这话在某种程度内是可以说的，虽然也决不是本质的说明。资本剥削制度，本来是从开始发展时就进行对于落后的部族、民族的惨酷剥削，到了帝国主义时期，殖民地的统治与争夺更成为资本主义存在的基础。“压迫别人的人自身也不能有自由”，建立在殖民地侵略的基础上的资本主义文化就开始自己打断了自己的进步发展之路。但是我们绝不能因此而根本否定了资本主义文化在历史上所曾经执行了的一些光荣有价值的斗争。斗争和侵略并不就是一回事，像前引的作者所说，把打倒封建贵族，揭穿中世纪黑幕，民权革命等等都看做是西洋近代文明的侵略性的表现，那是何等荒谬的看法！是的，他们必须否定了一切表现着积极进取，追求进步的活动的意义，才能够转而来提倡那只知消极败退，不求进步的东方精神文明！

在近代资本主义文化中的确有着侵略性的表现，最显著的如尼采的哲学和现在法西斯所提倡的一切文化思想。这也正是资本主义文化堕落的反映，这是必须从资本制度本身在进入帝国主义时期后的寄生性和反动性来说明的。但是用反对侵略的名义来取消一切斗争，那却同样是反动的思想。

郭任远先生责备“西洋科学，尤其是实用科学太发达”这不过是最不着边际的指出了一种表面现象。谁都不能否认，科学，实用科学的发达，本是人类进步的一个现象；假如科学的继续发达，不能造福于一般人民，反给人民加重了某些方面的灾难，那很显然的，是要由资本制度来负责的。而且，资本主义文化的危机在科学上的表现其实并不在理论科学比之实用科学较不发达，却是在于，如前文所指出的，理论科学在资产阶级手里是已经开始堕落了。那么要挽救科学的危机，就决不只是要着重理论科学，或者使实用科学少发展些，那岂不是很明显的事么？

至于文化商业化的现象，固然是资本主义文化堕落的一个现象。但我们必须看出，文化工作之成为独立的自由职业，这本是使文化从宫廷使奉之中解放出来的一个必要的过程。但资本的势力垄断了文化事业，使文化和广大人民绝缘，那却又是资本制度下所必然发生的文化上的危机。

我们对现代资本主义文化及其危机的看法，基本上也就是如此。

我们绝不是来为资本主义文化辩护，但我们必须反对这些一笔抹煞近代资本主义文化的看法，这不仅因为他们看不出资本主义文化的危机到底在那里，也就提不出它的出路到底是什么，更因为从他们的这些看法中是引导出了反动的复古的文化论，更引导出了对于眼前的战争与世界形势的最糊涂的见解。

四

我们在前文，用“西洋近代文化”这名词时都加以限制与保留。因为这名词在前一次世界大战以前，勉强还可以用，但在今天来用，已是完全不适当的了。因为西洋文化在前次世界大战后，已经显著地不是单一的存在，用这笼统的名词只足以混乱我们对世界文化的现状与其前途的认识。

实际上，目前笼统的泛论中西文化比较观的先生们正是在有意识地来混淆社会主义文化与资本主义文化的根本差别，并且混淆民主主义文化与法西斯主义文化的不同。请容许我们仍旧用郭任远先生的演说来做实例。

郭先生在他的演说中说：

> 德国同苏联的科学家，在最近二十余年来，集中力量研究实用科学，并侧重于军事有

关的部分，凡是与军事没有关系的科学研究，
完全停顿。

这几句话里就包含着他对苏联的文化建设的看法。

但郭先生声明他这种看法只是来自传闻，那么，我想，假如他能用科学家实事求是的精神，多搜集一些来源可靠的材料看一下，他或许会承认这种传闻其实是不值一笑的罢。

这里我们也不妨来指出一些最显著的事实。就以自然科学的研究来说。研究实用科学难道就是罪恶么？能把科学研究的成果与人民大众生活的改进结合起来，那正是文化进步的表现。苏联的三个五年计划是整个改造，改进了国民经济生活的经济建设，苏联曾经动员了全体科学家用全副精力来参加这种建设事业。这怎么说是与军事无关的科学研究，完全停顿呢？在这次战争爆发前，苏联全国科学研究机关一共有二千二百六十五所。固然在那样的国际情势之下，假如苏联科学家拒绝从事与军事有关的科学研究，是不可能的；但是农业，医药，以改进人民生活为直接目的的工业上的问题，仍是

占据了苏联科学家最大部分的精力的；在理论科学的研究上，苏联科学家也曾不只一次地向世界提出了新的成果。因此，我们可以说，科学在苏联是第一次真正和人民大众的生产劳动的生活结合了起来，而在资本主义世界中丧失了追求科学真理的能力的时候，苏联社会对这种能力的发扬是给了最大的保障。只在这次战争开始以后，苏联的一切科学研究机关工作才彻底地加以改造，使其更加接近前线的需要。

苏联的文化活动，又不止科学这一方面。在文学艺术方面，郭先生虽没有提，但我们可以套用胡适之先生的话：凡是能睁开眼睛看苏联的人，至少还能承认苏联人并不曾轻蔑了这些重要的方面。而且我们可以加上一句话：假如说，在这二十多年中从资本主义的文化艺术中，已停止产生可以比美十八九世纪的人才，那么只有在苏联文化中，正在日盛一日涌出了光辉的名字。

那么，在说到世界文化的时候，人们有什么理由把苏联和那绝灭文化，绝灭科学与艺术的法西斯德国并举呢？

很显然的，就前引的话中，我们可以看出，郭任远先生对德国法西斯文化的罪恶也同样是认识不清的。难道法西斯的罪恶只是在于它集中研究于实用科学么？法西斯使一切科学研究都为侵略战争而服务，而且法西斯曾为了适应其黑暗的独裁政治和野蛮的民族侵略与压迫政策而创造了种种荒谬的“科学”理论，并用强制力量绝灭人类文化史上一切优良的成果（其中包括真实的科学研究精神）。假如看不到这点，却只是以为，它停顿了与军事无关的科学研究，那岂不只是给法西斯对科学，对文化所犯的罪恶洗刷么？——而郭任远先生确是不承认法西斯破坏文化的，他说：

> 英国人常说，美国人也一样的说，我们这次打仗，是为了德国人破坏文化。这句话说得很漂亮，但是他们的文化，德国人破坏得很少，倒是他们自己无意中破坏了。

为了反对破坏文化的法西斯而作战，这在郭任远先生看来，竟然只是一句漂亮话！那就无怪乎他以为，无论是英美，是苏联，现在把一切力量集中在战争上，其意义只是对文化的破坏了！——破坏文化的是法西斯，而不是反法西斯战争，连小学生也已经懂得了这个真理，对于我们的学者，居然还是需要解释的事情！

法西斯是从资本帝国主义的娘胎中产生出来的恶魔，他不仅集中了资本主义文化中的一切倒退反动的因素，而且承继了人类有史以来一切反动的历史。假如法西斯胜利，那就表示着人类完全丧失了运用理性来思考的权利，任何人身上最细微的一颗脑神经细胞都要受到“盖斯塔坡”的监视，任何人都失掉了自由地去探求真理的权利，也丧失了自由地歌唱的权利。因此，法西斯的胜利，就是整个人类文化的死亡。消灭法西斯就是保卫文化，这是一点也不夸张的话。——对于这样一个有关全人类命运的严重的事业，任何一个只要具备起码的对于科学与文化的忠诚的人，是绝不应该采取那样可笑的轻率态度的。

到了现在，法西斯还存在着，法西斯细菌还在威胁着世界文化，而郭任远先生居然来惋惜于“德国文化”的遭受破坏了。

> 德国大城市——即文化的中心地点，六个月以后，都会被盟国的空军炸平。德国的整个文化，如不消灭，起码也要停顿几十年！

啊，啊，按照这种看法，原来英美的文化并未受到德国的破坏，反而是同盟国的空军破坏了德国的文化！郭任远先生显然不愿承认，真正的德国民族的文化其实已经被法西斯所破坏殆尽，而只有消灭法西斯才能使德国民族的文化发展起来。——郭先生虽然轻视实用科学，但在这里，他所说的文化又只是文化机关和设备，这里是自相背谬到了极点！

我们在上面已经指出了资本主义文化的腐败堕落的倾向。正是由于这种倾向，结果从它的胎里产生了毁灭文化的法西斯的恶魔而它自己无力加以克服。所以在一九三九年欧战开始以后的最初两年，在资本主义世界和它的文化前面只是一片黑暗。但是到了一九四一年六月以后，情形完全不同了：苏联参加了这个战争，英美苏结成了反法西斯同盟，终于造成了德意两个西方法西斯国家相继趋于崩溃的情形。这个事实在文化上的意义也是异常重大的。一方面证明，在消灭了破坏文化的法西斯以后，在全世界文化中占优势的将不是资本主义文化而是社会主义文化了；另一方面，对于资本主义范畴内的民主主义文化，从它没落的命运中，是否还能找出一条出路，这也是一个严重的考验。

在现在，资本主义世界的文化是划分为二了，一方面是绝对反动的，以消灭社会主义文化与一切具有进步性的文化为职责的法西斯；另一方面是与社会主义文化携手，站在反对法西斯的立场上的民主主义。在英美，人们已在开始考虑到战后民主制度将不可能和战前完全一样，在文化上也是如此。但民主主义文化在战时与战后是否还能在新的基础上成为人类文化中的一个进步因素，这就取决于今日它是否能坚定不移地参与反法西斯战争，贯彻反法西斯的精神，并且和社会主义文化携手合作。

所以，在这次战争中，资本主义文化的确是遭到过严重的危机。这危机就在于法西斯的破坏文化，就在于民主主义文化还没有能从自己身上彻底肃清法西斯细菌。

谁只要认真地考虑过这些现实的问题，谁就不会说出像郭任远先生所说那样糊涂的话来：“不过我们所注意的，不是眼前的打仗的问题，而是打仗以后世界文化的问题。”这种说法不过证明他既不懂得眼前打的是什么仗，更不懂得世界文化的前途到底是什么。

五

既然所谓“西方文化的危机”的真实内容完全和这些先生们所看到的不同，那么以为用东方的精神文明可以挽救世界文化，其错误实在是不待申言的。

假如“东方精神文明”能够挽救“西方文明”的危机，那么它必须满足这两个要求：第一，“西方文明”中一切优良进步之处，在它里面都具备着，而且能加以发扬光大；第二，“西方文明”中一切破绽，矛盾和堕落倾向在它里面被绝对排斥。——西方资本主义文化中优良进步之点是科学与民主，而其危机是表现在从科学走到不科学，从民主走到不民主。但在“东方精神文明”中，从根本上就是既没有民主的气味，也没有科学的气味，它自己没有资格立足在现代世界中，正是泥菩萨过江，自身难保，有什么能力去搭救落水的旁人呢?

不论卫道护法的先生们把东方精神文明说得那样天花乱坠，有意想不到的效力，但我们必须严格地指出所谓东方精神文明的实质是什么：第一，它是产生于封建的身份等级社会中，而这种社会制度又集中地表现于东方的专制主义政治中。所谓东方精神文明是为这种社会制度与政治制度而服务的。第二，所谓东方精神文明，其在文化思想上的根本精神乃是主观主义，它不引导人们向实际去求知，而是把人们的知识封闭在圣经贤传的教条中，封闭在自满自足的境界内，因此，它和科学的思考与实事求是的精神是根本无缘的。

让我们再来读一段郭任远先生的陈腐的妙论：

> 我认为中国现在要承认科学落后，物质文明远不及西方，但讲到对实用科学的态度，中国比西方高明。

接着他说，他在英国利物浦大学里，曾参加一个讨论科学与社会关系问题的讨论会，会中参加的人对科学抱悲观态度，怀疑科学是否能对人类发挥正当的好作用，他当时便解答说：

> 你们错了，用科学方法研究制造出来的东西杀人，不是科学本身的罪恶，是你们这一批人运用科学的罪恶。我们中国人科学的发明，与欧美比较起来，差得很远，但中国人对于科学的利器的态度比欧美人高明。比如火药，是中国发明的，可是中国人未尝用火药来杀人，而用来作鞭炮，放烟火，为人生享乐的工具。因此认为中国人应加速的学西方的科学，但必要保持过去对于科学的人生观。

把这样可笑的议论向外国人说了一遍，又回来再向中国人说一遍，实在是太自欺欺人了。但我们不妨严正地来批评一下这个说法。

第一，假如是说科学的态度，那么真正的科学态度，起码应该如前引胡适之先生所说，摆脱迷信成见与一切独断教条，探索客观的现实，从怀疑中求证明，不断地追求真理。这种态度从东方精神文明中找得出来么？

第二，从前中国人只把火药拿来作鞭炮，放烟火，却不能拿来制大炮炸弹，这是因为不能还是不要呢？假如是因为不要，那么在那种精神文明下应该是没有杀戮与战争了。但何以从很早时候起，中国人也已用铜，用铁制造杀人的武器呢？又何以到了明末，却要向耶稣会人学造铳礮呢？

第三，假如把科学研究当做享乐工具是最好的态度，那么我们也可提供很多例子，譬如上海战前盛行机关布景的戏，那是运用了相当高度的光学电学的成果，在戏台上演出孙悟空大闹天宫，白娘娘水漫金山。这种机关布景戏就是东方精神文明的表现么？

我们认为：一切理论科学与应用科学，其最后目的都应该是为了改进人类的生活。但如何能够实现这目的呢？全世界进步的人类，正在严肃地进行着反法西斯的斗争，从实际中探寻着更合理的社会制度，来创造使科学与文化更能与人民大众的利益联结在一起而自由发展的条件。在这时候，我们的东方精神文明的保卫者却企图以空谈来蒙混现实的斗争，并斩断民族文化的进步发展道路，这是何等可耻可怜的事啊！

一九四四年五月

论“诚”

释家有所谓一字禅之说，儒家也常有所谓“从某一语中受用不尽”的话。自古来讲道德修养的，总想能概括出一个或数个最基本的概念，把这概念当做绝对的、最高的、而且不变的标准。孔子讲“仁”，讲“忠”、“恕”，孟子讲“仁”、“义”。荀子讲“礼”、“义”，都是其例。“诚”这一个字，这一个概念，也同样是历来儒家所津津乐道的，如宋刘安世自称他从司马光学了五年，所得到的就是一个“诚”字。

我们固不必否认，这种种概念中，可以包含着很好的意思。但是因为这些概念是当做绝对的标准而提出的，既没有任何附加的条件，本身也不具有确定的解释，所以单从这一个字眼上去看，那就只是个纯粹抽象的概念。这个概念必须人来加以具体的说明才行。也许可以赋与好的具体内容，从好的意义上来加以说明，但也未始不可以赋与坏的具体内容，从坏的意义上来加以说明。意义含混正是把抽象概念孤立了的必然结果。甚至可以是在基本上完全相反的两种意思，同样包含在一个字中，这是我们来分析研究这类“一字口诀”时不能不注意的。

而且这种种概念，在其抽象的形态上，固然可以并存不悖；但既都被当做绝对的、最高的标准，于是在具体运用于实际中时，就常不免于互相抵触，而无法解决，某一个概念，在其抽象的形态上，纵然可以包括好的内容，但一进入具体的运用，因为有了特殊的条件加以限制，其所发生的作用也可能恰恰走到了相反的方向。这更是把这种抽象的概念当做绝对的、不变的教条而必然产生的危险。

从“诚”这一个概念的分析中，我们可以证明上述各点。

这里我们还要作一个也许不必要的声明。当反对某一个抽象的概念时，并不就是主张与这相反的另一概念。“五四”时代，人们曾严格批评过“孝”。但反对“孝”

的人显然并不是主张为人子者应该不孝，应该“打爹骂娘”。他们只是指出在旧礼教中的“孝”这一个抽象概念实际上包含了种种坏的内容，因此他们反对把“孝”当做绝对的、不变的、最高的行为标准。既反对把孝当做绝对的、不变的、最高的标准，当然也不会赞成把孝的反面，“忤逆”当做这样的标准。有些人常弄不清这一点，一听见反孝的主张，就罗织罪案，加以攻击，那其实不过表明他们自己钻在这些古老的教条中爬不出来，或在企图利用这些教条来达到自己的目的而已。

我们，此地来分析批评“诚”这个概念，当然也并不是主张与“诚”相反的概念，主张人应该不诚，应该欺人欺己。恰恰相反，我们所要做的，只是来分析“诚”这概念曾经被赋与了那许多意义，并且说明我们应该怎样来排斥其中的坏的意义，怎样从具体的情况中来发挥其中好的意义。

“诚”——“信”

“诚”字，在普通的用法，本来有不欺之意，所谓

"诚实","诚信"是也。"说文"也说:"信,诚也。"儒家的最初一本经典——《论语》中不讲"诚",只讲"信"。因为"诚","信"二者的意思本可相通,所以论语讲"信"的地方,也可以用来解释"诚"。

孔子是很重视"信"的。他说:"人而无信,不知其可也。大车无輗,小车无軏,其何以行之哉!"(《为政》)曾子的"三省"中,也有一条是,"与朋友交而不信乎?"子夏也说,"与朋友交言而有信,虽曰未学,吾必谓之学矣。"(均见《学而》)由这些话可见,其所谓"信",就是待人接物上的表现。人与人之间,是以言语和行为来相互交接的。手里怎样做,口里怎样说,这是信实的态度;这一刻说的话,下一刻一定要兑现,这也是信实的态度。所以孔子说:"古者言之不出,耻躬之不逮也。"(《里仁》)又说:"始吾于人也,听其言而信其行;今吾于人也,听其言而观其行。"(《公冶长》)——这都是要求,说出的一定要做得到,言行一致。明末大儒朱舜水自述说:"不佞生平,未有言而不能行者,未有行而不如其言者。"——能够真正做到这程度,自然是"诚信"的极顶了。

就“诚”的好的方面来说，自然应该重视“诚信”这意义，提倡“诚”的人，首先就应该对朋友“言而有信”，不欺骗朋友。假如口里说“诚”，但实际上却是准备着欺骗朋友，那更是双重的欺骗了。

不欺人固然是“诚”的要义。但欺人的时候，往往同时又是在自欺，所以“诚”的意义又包含不自欺的一面。论语中说，孔子有一次生病很重，子路使门人充当“家臣”，意思大概是想万一孔子死掉，丧礼可以风光一点，但其实那时孔子已去位，并没有家臣。孔子知道了这情形，就说，“久矣哉，由之行诈也。无臣而为有臣，吾谁欺？欺天乎？”（《子罕》）像这样的不诚的行为，是孔老先生不肯做的。其实是无臣，却装出是“有臣”的派头，这固然是欺人。但也未尝没有人处在这样的情况中，自己也觉得有了这几个假的“臣”，好像身价立刻就抬高了一点，那便是自欺了。所谓君子远庖厨，实际上也还是自欺的表现。儒家修养中讲“慎独”，也包含不自欺之意。当一个人独处的时候，固可为所欲为，不致被人看破，倘就趁这机会做些明知是不该做的事，以为反正没有人知道，有何妨碍，那就是自欺。以后遇见人时，当然是矢口否认，那就又是欺人了。同样的，明知某事不该为，却用种种借口来使自己相信，偶做一次也不大要紧，那也就是自欺，结果也必至于欺人。

欺人的人固然不一定是自欺。但常常欺人，成为习惯，也会走上自欺的道路。没有人成天向朋友作种种允诺，其初本是口里一面这样说，脚下是一面划不字的。但说得多了，久而久之，连自己在说的时候也好像忘掉自己说的是假话了，于是更加可以夸夸其谈，心安理得。这就发展到自欺的极度了。

不自欺也不欺人，这在律己待人上，确是很重要的事。——就这意义说，诚信是值得发扬的。

但就在这一意义上，加以发扬，也仍不是把它当做是至高无上的绝对的标准。孔子虽重“信”，但在答复子贡问“何如斯可谓之士矣？”的时候，列举了三等人，第三等人才是：“言必信，行必果，硁硁然小人哉，抑可以为次矣。”（《子路》）因为假如只是做到句句话守信的程度，并不能表明已经达到生活修养的最高度。这在我们看来，是很容易明白的。坏人也未尝不可以守信，固然实际上，坏人因为其真正的言行不能公开在光天化日之下，往往不能不是欺人乃至自欺。但如孔子与孟子都曾加以讥刺的“乡愿”就多半可以说是“守信”的君子。

而且假如把守信当做绝对的教条，施用于一切情况下，则必然发生许多困难。试就《左传》上举一故事为例。鉏麑接受暴君晋灵公之嘱去暗杀赵宣子，但他在看到宣子确是一个正派人物时，便不愿动手。这时他心里发生了矛盾，他自语道：“不忘恭敬，民之主也（按指宣子）。贼（害）民之主，不忠；弃君之命，不信。有一于此，不知死也。”于是他只好自杀了。（《左传·宣公三年》）这个矛盾在我们看来，却是很容易解决的，假如赵宣子真是一个好人，那么虽已答应了灵公的嘱付，但能断然悔约，这种“不信”，恰恰正是值得赞美的。反之，倘仍坚守信约，那倒是该受唾骂的了。在这时候，很显然的，信与不信并不是行为最高标准。鉏麑的死不能引起我们的同情，正因为他把“忠”与“信”这两个抽象概念都当做了绝对的教条，于是就在这二者的互相冲突之下，使自己成为了牺牲品。旧礼教的修养标准的种种概念之间都常会发生这样的冲突，如最常见的是所谓忠孝不能两全。而为了维持这些抽象教条的尊严，就只好牺牲鉏麑这样的人，这也是“吃人的礼教”的一种表现。

由此也可见，有人以为儒家学说是在说明人事关系，故为人本主义，这种说法实在是错误的。即以诚信这一概念而言，固然他是从说明人与人的关系而产生的，但人与人的关系既已被抽象为一个“诚”（信）字，结果这个概念却不是为了人的实际生活而存在，恰恰相反，倒是人的生活成了这个概念的附属品，乃至牺牲品了。单纯的抽象概念化做了绝对的教条，压杀了具体的生活。这种教条主义的倾向在孔子学说中固已显其端倪，而至宋明道学中更为盛炽。而且原始的儒家还敢于声斥乡愿，但后代，则不仅乡愿可以在诚信君子的面貌下进入“圣庙”，即巨奸大恶暴君酷吏也可以假那些抽象的教条来做护符了。在这点上，我们不能不说，明末清初的一些大儒如黎洲、习斋、亭林、船山等人是唯一的一些能够大胆立论，转移风气的人。

假如是真正的人本主义，就必须肯定，一切抽象概念本身没有绝对的权威，它们是为了人而存在，不是人为了它们而存在。而人，是只能生活在具体的生活情况中的。因此在我们看来，固然也可以提倡诚信的态度与精神，但必须肯定，诚信的道德标准只能施于朋友，不能施于敌人，只能服务于广大人民的事业，而不能服务于人民的敌人。

“不诚无物”

上面是就诚信的意义上来说的。“诚”的意义固然与“信”可以相通，但“诚”“信”二概念也可以说是各有所偏重，可以互相区别，信是指对人态度而言，诚是更着重于对内的、对自己的一方面而言。由此也可以说，不欺人是信，不自欺是诚。所谓“诚于中而形于外”，正是说，内心中是实实在在有什么东西，那就自然会表现于外形上；反过来，也可以说，对外的表现应该是“由中而发”，倘若“言不由衷”，那就是不诚。因此，“诚”正是“信”的基础。

就这意义说，“诚”自然是很好的德性，而且值得我们来追求的。本来，人的言行倘只是为了对付旁人而作，那就不免于见人说人话，见鬼说鬼话，朝三暮四，东摇西摆了。我们有所言，有所行，必当真诚地出发于自己的内心。所谓“富贵不能淫，贫贱不能移，威武不能屈”，正是因为自己的全心全力有所执着，决不只因外在环境的变动而在原则上有所变动。因此，讲操守，讲气节，也就与“诚”的精神有关。所谓“身在曹营心在汉”，常不过是自欺之谈。而像苏武宁在贝加尔湖旁牧羊十九年，决不腼颜事外族，也正是他对民族的感情，至诚不可撼动的表现。

我们常说，真正的诗人决不是说假话的人。因为必须是真情实感，从心底里流露出来的东西，形之于篇章，才能成为感人的好作品。至于所谓公式主义的标语口号作品，那就多半只是虚伪的作品，因为作者心中本无此感情，当然只好硬拉些现成的标语口号来填充了。——所以就一方面说，无物即是不诚，胸中并无此物，形之笔墨只是不诚的表现；就另一方面说，不诚也就无物，既非发于真诚，也就不会产生真正的诗，真正的艺术。

没有“诚”的态度，也就没有真正的信仰和事业。真正的信仰，不是为了趋时媚俗，摆在口上面上，当做幌子的；真正的事业，也不是抱着“得者时也，失者命也”的态度去敷衍了事的。也有人自以为真是抱着某种信仰，从事某种事业，但其实不过是欺人自欺。宋明以来的道学家很多就是如此，像清初的道学家方庖、李光第之流，口中何尝不忠孝节义，说得头头是道，论其行迹，却都秽污不堪。则其信仰，并非出于至诚是可断言的。人们因为知力学力的差别，对于所信仰的思想的了解程度，固然可以有程度的差别，但是既成为信仰，一定是经过他自己认真的考虑研究，断定其是正确的，因而用全副心力拥抱着它，不懈不怠。固然这种思想的来源，可以由于旁人的传授；但这种思想对于他已经不是在他外面的某种东西，而是融化在他自己血肉中的了，这时才能成为最坚定的信仰。从事一种事业也是同样。假如真是以真诚的态度去对付一件事业，那就一定是无保留地用尽一切力量去从事它。力量的大小固然因人而不同，但竭尽所能，不屈不挠地去从事，却是任何人都可做到的。做事的时候，假如只出九分力，藏起一分来，甚至只出一分力，藏起九分来，这就正表明并不把这事业真正当做自己的事业。所以要求诚的态度也就是要求以全心全力来执着坚持其信仰，来贯彻执行其事业。

历史上，在每一次革命中，人民大众虽在残酷压迫之下，仍能一呼百应，前仆后继，断头流血，非达到目的不止。这正是因为他们真诚感到这种革命的行动和要求是对他们必要的。鉴于人民力量的伟大，统治中常有人以为不妨设法利用这个力量，因此他们研究领导群众的“艺术”。但他们不晓得纵能使群众一时上当，但在群众并不是真诚地为自己利益而斗争时，那种群众运动就只是假的，不可靠的力量。以为政治就是耍花样，玩手段，欺骗群众，那是少数统治者的想法。革命的政治家，其自身的行动是发于至诚，而且又是基础于革命人民的自觉的唤起与集中之上的。

但关于这一个意义上的“诚”，我们也有两点意思需要说明一下：

第一，诚固然是指内在的态度，但也不能脱离客观的标准，而使之成为抽象的教条。

我们可以说，以一个“心口如一”的恶人和一个“口蜜腹剑”的伪君子来比较，前者还使我们觉得略胜一筹，但也总不能使我们觉得前者就是可爱可敬的人。这正是因为对于人的言行的判断，还有客观的标准的原故。

前人尝以“诚”与“明”并举，这用我们的意义来解释，是很必要的。“知之为知之，不知为不知”是诚，而求得十分之知是明。认真的科学态度本就是“诚”的态度，有这种态度才能求得真正的“明”。能“明”也就掌握了客观存在的法则与规律。把这种法则与规律溶化到自己内部，成为自己所坚持的事业与执着的信仰，那就更是诚的精神的最高的发挥了。

所以倘把主观的“诚”的精神脱离了对客观存在的“明”，那么所谓“诚”也可能只是武断、迷信。但反之倘只有客观的“明”而不能激发主观的“诚”，只是把客观的法则当做外在的标准，那么纵然一时能一步一趋，那仍是勉强的，有动摇可能的。我们又可以说，符合客观标准是求真，而发自内心，毫不勉强是致诚，那么，我们所向往的正是既真且诚的“真诚”。

第二，历来讲诚的修养的都不曾顾到，人的发展是可以有质变的。这就是说，人在发展中，可以是经过新我与旧我的冲突，而最后由新我来克服旧我的过程的。经过这种过程，为了人生的进步，是必要的，然而却是苦痛与艰难的。

其所以是苦痛与艰难，正因为“旧我”有着根深蒂固的基础，所以属于“旧我”的一切对于自己倒是更加亲切的。反之，“新我”在一定时候，比之“旧我”反而是较为生疏的。因此在争取新生的时候，常不免或者有意识地对“旧我”徘徊留恋，或者无意识地流露出“旧我”的尾巴来。在这情形下是否也可以讲诚呢？假如主张真诚地表现出自我来，岂不正是决堤而让“旧我”泛滥么？

在这情形下讲诚，不是拿来当做“旧我”的护符，而要拿来当做进行“新我”与“旧我”斗争的态度。既然有着这种斗争，就决不掩饰在自己内部有着两个自我的存在，不把自己当做已经是完满无缺的人格，那么才能够把那斗争发展起来。既然这个斗争是个艰难的斗争，那么也决不轻率地相信“新我”的胜利，好像一觉醒来，已经脱胎换骨，面目全非了；假如这样想法，那就仍不过是自欺。

把“诚”从这一个意义上讲，自然不是道学家们所能做的。求之于鲁迅的一生的生活与战斗，我们可以得到最光辉的范例。

我以为，提出以上两点，是很必要的事。假如否定了人在发展中质的突变，就会把“诚”单纯地看做是自我的忠实表现，那么“诚”就变成懒惰者的借口，当成自己留恋于故我，故步自封的理由了。再假如不看到内在的“诚”更须与外在的“真”相一致，则既阻断了自我改革的道路，而且更会一直引向一种唯心论的观点。

在土地庙里常常可以看到的匾额“诚则灵”正是对诚的唯心论看法的最通俗的表现。明知是泥塑木雕的神像，偏偏还向它顶礼膜拜，以为或可得到保佑，这是自欺。更进一步，以为只要自己求神之心极诚，则木偶也会有灵，所祈之福就会到来，那就更是把主观的意识当做是对于客观现实起着决定作用的了。主观的唯心论本来就可说是人类最大的一个自欺方法。

封建统治者以诚来向人说教，就多半有这样的意义。王祥卧冰，可以获鳞，——为什么？因为他志诚。愚公移山，神来帮助，——为什么？因为他志诚。统治者把久旱后的甘霖当做自己诚心祈祷上苍的结果，这是自欺，也是欺人——欺骗人民，既博爱民的美誉，又使人民相信老天真是站在自己的一面。所谓“至诚可以格天”更是把主观意识的作用夸大到了极点。

本来，“不诚无物”这话是可以说的，因为不用全心全力去干什么事，就不会有完满的结果。但若反过来说，“无物”的原因就只是因为不诚，只要自己意诚，一切奇迹都会出现，那却是蒙蔽现实，使人不去注意现实中进行改革的必要了。

所以把“诚”当做这样的意思来说明，其作用就完全走到了相反的方面了。

“神秘主义”

由此在诚的概念上，就可以发展唯心论的神秘主义的理论。

最初提出“诚”的神秘主义理论的，是在《孟子》与《中庸》上。假如《论语》中说“信”，还有几分古典的人本主义气味，那么在《孟子》与《中庸》中所论的便完全是不同的了。孟子说：“诚者，天之道也，思诚者，人之道也。至诚而不动者，未之有也；不诚，未有能动者也。”(《离娄上》)《中庸》上也有类似的说法：“诚者，天之道也；诚之者，人之道也。诚者，不勉而中，不思而得，从容中道，圣人也。诚之者，择善而固执之也。”在这两段话中，以《中庸》所说的更为意义明显。在这里“诚”已不像“诚信”“忠诚”“诚实”这些说法所表示的那种意义，它已不是指一种生活态度——人对现实的态度，而是被扩大为宇宙的本性，且用以指最高的一种人生境界了。照《中庸》所说，诚是宇宙的本性，表现到人身上就是圣人。圣人就是那种不必经过思考与努力，在其天性上就已合于宇宙本性的人。所以孟子又说:“万物皆备于我矣。反身而诚，乐莫大矣。”(《尽心上》)“我”与万物——宇宙本为一体，故只要能够向内探索，回复其本性，就与“天道”一致而入于诚的境界。孟子又讲良知、良能，“人之所不学而能者，良能也；所不虑而知者，良知也。”(《尽心上》)在他的体系中，“诚”和“良知良能”是一致的。

经过这样的解释，“诚”就绝对不包含用全心全力，进向客观，追求真理，改革现实的意思。它一方面成为“天人合一”的宇宙论的基本概念，一方面又把最高的知识与行为归于天赋的知能。因此，“唯天下至诚，为能尽其性；能尽其性，则能尽人之性；能尽人之性，则能尽物之性；能尽物之性，则可以赞天地之化育；可以赞天地之化育，则可以与天地参矣。”（《中庸》）这是说，至诚的表现就在于把个人的本性（那先天的本然的性）充分发挥出来。因为个人的本性也就是全人类的本性，天地万物的本性，所以只要能充分发挥个人的本性，个人就可有赞助天地的变化的能力，而与天地并立为三了。这不正是和前文所说的“诚信”诸义相反，恰恰走到自欺欺人的极端了么？至于说：“至诚之道，可以前知：国家将兴，必有祯祥；国家将亡，必有妖孽。见乎蓍龟，动乎四体。祸福将至：善，必先知之；不善，必先知之。故至诚如神。”（《中庸》）那更是和今日土地庙前挂的“诚则灵”的招牌直接相联的了。

《孟子》、《中庸》二书在宋以前，在儒家学说中并不占支配的地位；其所以至宋以后，被列为四书中的二本，成为儒家的基本典籍，理由之一就因为其中包含着这样的神秘主义的宇宙论与人生论。宋明理学家之论“诚”，大体也都肇源于《孟子》、《中庸》二书所论。唐代韩愈的弟子李翱本《中庸》中“唯天下至诚，为能尽其性”之说而加以发挥说：“诚者，圣人之性也。寂然不动，广大清明，照乎天地，感而遂通天下之故；行止语默，无不处于极也。…… 此非自外得者也，能尽其性而已矣。”（《复性书》上）这显然不过是《中庸》中的意思的重复，而更直接地说明一切知识并不由外界得来；只要以本然的人性去感应万物，就能“通天下之故”，——这也就是“诚”的境界。把诚当做与天地相通的人的本性，也正是宋明理学家共同的主张。

朱晦庵注《大学》中“大学之道，在明明德”语，说：“明德者，人之所得乎天，而虚灵不昧，以具众理而应万事者也。但为气象所拘，人欲所蔽，则有时而昏，然其本体之明，则有未尝息者。故学者当因其所发而遂明之，以复其初也。”其所说的意思，和《复性书》所言，在根本上是一样的。于是《中庸》之所谓“诚”便和《大学》之所谓“明德”，《孟子》之所谓“良知良能”成为同意语，同为指天赋的人性之本然，且与天人合一的宇宙论相关联。

“诚”的概念便完全笼罩在神秘主义之下，更和人本主义精神相去不可以道里计了。“诚”的概念更完全不是为了人而存在，却是人所必须遵从的天道了。其以天道为诚，正是把天道当做是有人格有意志的支配权力。“诚”也不是人在现实生活中培养的一种态度，而被当做是先天的本然的人性了。但是天赋的“人性”，不假后天作用的“良知良能”，这在实际上是根本无法证明其存在的。假如说有，那就不过是基于生理的本能的一些感觉与行动的能力而已。孟子解释良知良能时说：“孩提之童，无不知爱其亲也；及其长也，无不知敬其兄也。”而后人更甚至把“忠君爱国”也一起算在良知良能之上，但这不过是统治者为了维持他所支配的社会秩序，把他所要求的道德条例解释做天赋的必须遵守的人道，来更加强其强制力量而已。但实际上，无论是爱亲敬长，忠君爱国都不是先天的人性，而是后天的获得物。

宋明理学家接受道家的影响把人性绝对抽象化了，也就只落得是“寂然不动，广大清明”，“虚灵不昧”这样的不可名状的境界。假如“诚”的意义就是回到这种境界，那也只是把人从客观现实中拖回来，施以麻醉而已。

所以这种“诚”的神秘主义哲学，虽然看来完全是玄虚之谈，然而仍是与一定的社会政治的实际意图相联系着的。所谓“天人合一”论的作用不外乎是消灭人民大众的自觉，所谓“尽性致诚”论的作用也不外乎是消灭人民大众的自觉的实践。所以在长期的东方专制主义政治下，“诚”这一个概念，本是因企图说明人的合理关系而产生，却在神秘的外衣下被抬上神圣的殿堂，使人顶礼膜拜，作为欺蒙与麻醉奴隶人民的思想工具，这是我们不能不加以揭穿的。

“诚”与实践

由以上所说，可以看到，“诚”这个字的意思，并不是完全不值得表扬的。问题在于，我们不能把它当做抽象的、绝对至上的教条，而要从现实的具体的生活实践中来说明它。从当前的反法西斯的民主斗争的实践上说，诚的意义对于我们，就应该是：在反法西斯的民主阵容中，各个国家，各个力量之间都该以诚相见，以信互待，不能有任何言行不一，出尔反尔，彼欺我诈的现象；并且大家对于这共同的事业，必须以全心全力，出于至诚地去从事，不能有任何口是心非，心怀二意，消极怠工的现象。从这些意义上说，我们可以而且应该拿诚这标准来做我们的行为准则。

因此，我们必须把从旧时代传统所遗下来的对“诚”这概念所加上的坏意义一一加以扩清。

在知识上把“诚”当做基本的出发点，是完全错误的。这样做法就一下子召来了“诚则明”“致良知”“明明德”那一批亡魂。这批亡魂之反科学是异常显著的。中山先生创知难行易说，其言有曰“夫科学者，系统之学也，条理之学也。凡真知特识，必从科学而来也。舍科学而外之所谓知识者，多非真知识也。”（《心理建设》）正因为中山先生坚决站在科学的立场上，也就不得不反对王阳明的知行合一论，因为阳明的知行合一论是从“致良知”说发展出来的。阳明以为一切知识不必外求，都在“我”的内心中存在着，这就是良知；而能致良知，就是行。但中山先生则以为真正的知识只是科学的知识，此外都是虚伪的东西。所以倘企图把中山先生的理论和从孟子到王阳明的理论并家，正是要合并玄学与科学，结果就只是使中山先生的思想趋于堕落而已。

用中山先生对知识的看法来说明“诚”，那么“诚”的意思正是指在科学研究中应有的一种态度。“诚”的态度对于科学研究自然是很重要的。在科学上是不能有一点虚伪在内的，非诚诚实实不可。你要否认水是氢二氧一组成的，你只好脱离科学；你要想把五十万年前的“北京人”遗迹来证明中国民族历史的悠久，你也只好离开科学。因为事实上水只能由这样的成分组成，事实上北京人不过是远古人类的一种，无从断定和现代中国民族有直接关系。科学上的诚的态度首先就是尊重客观事实的态度。

但用王阳明的“致良知”之说来说明诚，那么诚的意义就会一变而为知识的本体。因为既认为一切知识都在人的本心中，不必外求，只要反求己心，即可得万事万理，则“诚”就不是求知的态度，而成为知识的根源了。但我们试来实验一下，不顾外物，但去探索自己的“良心上的知觉”，结果，不待说得，是什么知识也得不到的。这样做法，其实际的意义无非是企图由主观的愿望来杜撰一切知识。就这意义说，则纳粹之创造人种优劣论，不可谓不诚，然而那却是非科学的。把诚的概念就这意义来解释，就必然会走到最恶劣的地步，为法西斯的伪造科学辩护了。

把知识论扩充到行为论上去，我们应该指出，行为的基础是什么？从根本上说，是“泰初有行”，从实践中产生知识，也就是中山先生所说的“不知亦能行”。但在人类已经获得相当多的知识后，则行为又必须以真实的知识为基础。中山先生说：“倘能由科学之理则，以求得真知，而行之决无所难，此已十数回翻覆证明，无可疑义矣。”（《心理建设》）这是说，行为要根据科学的知识而出发。既从科学上证明客观的真理，我们就断然地坚持真理，勇往直前，这也正是“诚”的态度。对于真理越是坚持执着，越是用全心全力来为真理搏斗，行为也越是有力。“诚”的态度对行为自然是十分重要的。但是，倘不把“诚”看做是行为的态度，而把它看做是行为的原动力，以为我们的行为，不必对科学的知识有所依傍，只要从主观的直觉出发，爱怎样干就怎样干好了。于是“诚”就被当做只是“决心”的意思，而决心又只是主观的意念的产物。这样的行为论，其结果也只好与法西斯的“行动论”异途同归。

把宇宙社会一切都用“诚”当做基本概念来解释，错误更是显而易见的。用诚这空洞的概念来说明社会政治的原动力，其意义不过是抹煞广大人民的实际生活要求的作用。用属于人事范畴的概念来说明宇宙，其意义也不过是把物质世界化为有目的的精神，而完成其唯心论体系。这些，根据以上所述是不必再来详细论列的了。

近代法西斯主义在其哲学基础上，有意识地加上神秘主义的色彩，那正是因为只有在这样的基础上，才能反对科学，而从主观愿望上来改造科学，才能反对理性，剥脱人们用理性来考虑世界，判别行为的能力，而发扬兽性的行为。由此，在东方专制主义下的“诚”的神秘主义就和近代最反动倒退的、反对人民大众的法西斯思想一脉相通，那正是我们更不能不加以揭穿的。严格否定这种专制主义的神秘主义的内容，在实践的生活中发扬“诚信”与“真诚”的精神，那才是我们对于民族的文化遗产所应有的态度。

一九四三年十一月

评冯友兰著《新世训》

冯友兰先生在抗战以来，有“贞元三书”之作，《新世训》是其中的最后一本。本文就以这一本书做讨论的对象。但是如冯先生在本书自序中所说“书虽三分，义实一贯”，在《新世训》中所论的“生活方法”是在《新理学》中有其形上学的根据，又是和《新事论》中所论的“文化社会问题”有着密切联系的。所以单独评论这一本也许是不妥当的。不过因为它是直接接触着在这样一个大变动的时代中摆在个个中国人面前的严重而新鲜生动的问题：我们应该如何生活？因此我们就对这一本书特别感到兴趣，而觉得有首先加以讨论的必要。我们在讨论中也就只能把范围缩小一点，有些问题，本当联带谈到，但因按照冯氏原著的体系，是属于《新理学》《新事论》的范围中，我们也留到以后另有机会时再提出。

《新世训》的内容，除了绪论外，有十篇，其题目就是著者所提出的生活方法的十个项目，它们是：一、尊理性；二、行忠恕；三、为无为；四、道中庸；五、守冲谦；六、调情理；七、致中和；八、励勤俭；九、存诚敬；十、应帝王。但我们以下并不打算按照原书的项目逐一讨论下去，因为枝枝节节讨论是不必要的，我们将提出原书中的几个根本观点来加以分析。

一 “人的生活方法”

上文说，《新世训》这本书是直接接触着在此时此地每个人应该如何生活的问题，这话也许不能算是恰当的。因为照本书著者自己的意思，本书并不是讲在现在中国社会中的人的生活方法，而是讲“人”的生活方法，这就是：在任何时代，任何社会中的共通的生活方法。所以冯先生说：

我们……所说底生活方法是“生活”方法，

凡生活底人都必须多少依照之，想求完全生活的人，都心须完全依照之，不管他是个老年人或少年人，中国人或外国人，古人或今人；犹之逻辑学上所讲底思想方法，凡思想底人都必须多少依照之，想有正确底思想底人都必须完全依照之，不管他是个老年人或少年人，中国人或外国人，古人或今人。（页一二——一三）

就冯先生对于生活方法的这种基本了解，我们不免首先要问，这样的生活方法是否可能的，是否足以指导现实的生活，实现“完全的生活”？

冯先生回答我们这疑问说：“人的生活有其本然底规律，任何人都必多少依照它，方能够生活。例如在人的生活的物质方面，无论古今中外，人都必须于相当时间内吃饭，相当时间内睡觉，在这一方面，有本然底规律，人都必多少依照这些规律。”（页二）但关于“这一方面”的人的生活有其本然的规律，那是谁也不会来打算否认的。在说到一方面的人的生活时，是把人当做“生理的人”，“自然的人”来看待的。而关于这一方面的生活方法也是属于生理学，生物学所处理的范围的。所以冯先生自己接着就说：“人的生活的这一方面，并不是我们讨论所及。我们于此所谓生活或人的生活，是就人的生活的精神或社会的方面说。”（页二）那么这是很清楚的，冯先生所讨论以及我们在这里准备来讨论的是当做“社会的人”来看待的人的生活，也就是人的生活的社会的方面。所谓人的生活的精神的方面，在我们看来，是可以包括在“社会的人”的概念中的，因人的精神生活是在其社会生活中发展起来的。“人的生活的物质方面”生理的方面虽可有“本然的规律”，但我们不能据而推论到“人的生活的社会底方面”也同样有着本然的规律。那也是非常显明的。

第一，冯先生把“人的生活的物质方面”和“人的生活的社会底方面”对比着看，其实是不对的，因为社会生活也是一种物质生活，不过所对付的不是自然的物质，而是社会的物质。但社会的环境和自然的环境不同，是经常在巨大的变动中的。冯先生以为无论社会怎样变动，总是一个社会，由此他所了解的社会是抽象的社会，而不是具体的社会，例如他以为，道德是社会组织中必要的规律，但并不是某一种社会的组织规律，而是说，社会无论怎样变化，都有共通的社会组织规律。把这种社会观用在生活方法上来，实在是更难用得通的。因为生活方法就是如何应付社会环境，如何应付社会中的一切人与事的关系的问题。假如把人所应付的对象看做抽象的社会，那么这种生活方法怎样帮助我们来应付现实的社会环境呢？冯先生在说明他所谈的生活方法与宋明道学所谈的之间的不同时，所说的一段话是很堪玩味的：

> ……一种社会内底人的生活方法与别种社会内底人的，不尽相同。不过这些分别，前人没有看出，所以他们所讲的生活方法，有些是在某种社会内底人的生活方法，而不是人的生活方法，现在我们打算讲人的生活方法，所以和他们所讲，不尽相同。（页五）

假如冯先生所讲与前人所讲的不同正是如此，那么冯先生能看出前人所讲的生活方法中有些只是当时的人的生活方法，这确是一个比前人进步的地方（而直到今日许多复古论者连这点也死不承认）；但同时却也退了一步，就是假如前人——用冯先生自己的话说——除了“人的生活方法”以外，还谈及了适应当时社会的特别的生活方法，而冯先生则只是讲了抽象的生活方法，而没有一个字讲到在现代中国社会内的人的生活方法。关于这一点在冯先生自己所用的文字上也表现出了矛盾。一面冯先生说：“生活全照着生活方法（这显然是指‘人的生活方法’——绳）生活下去的人，即是圣人。”（页八）这无异于说，只要按“人的生活方法”，而无须按照在现代中国社会内的人的生活方法，就能成为现代中国社会内的圣人，但这怎么讲得通呢？而另一方面，冯先生又说：“在某种社会内尽某种底人伦即是圣人。”（页二二）这句话岂不是对前一句话的否定？正因为在“某种社会”内要尽“某种”人伦，那么人在某种社会生活内也必须按照某种生活方法。抽象地讲人伦，讲人的生活方法，对于人的社会生活的实践就只是一句空话，一个空洞的公式了。

第二，既然如上述，人在生活中还要发展其精神的生活，那么人就是有意识的，自觉的生活，那就是决不能同于无自觉的自然物。人的主观与自觉的最高表现就是人对世界的看法，——也就是世界观——而只就生活本身的范围说，就是人生观。一个人对世界保持某种看法，他就用某种方法来对待世界，他对人生保持某种的看法，他就用某种方法来对待人生。所以我们以为，一般的方法论不能脱离世界观，生活的方法论也不能脱离人生观。不确定对人生采取什么态度，也就不能确定生活的方法。但冯先生不承认这说法，他要我们注意生活方法与修养方法的不同：

> 如把修养方法当成一种手段看，则在不同底人生观中，人所要求底目的不同，因此其修养方法自然亦异。……所谓修养方法，可随人的人生观而异。但我们于此所讲底生活方法，则不随人的人生观而异。因为我们所讲的生活方法是“生活”方法，凡是生活底人都须用之。……（页十六）

把人生观，修养方法与生活方法，这样分割开来的说法其实是说不通的。冯先生的论证方法是人无论抱怎样的人生观，都同样是生活着，既在生活着，就都同样用“生活方法”。但这只是一种形式上的论证。其实，抱着不同的人生观就不能不是在不同地生活着，用不同的态度和方法来对待一切人与事，其生活方法也就是不同样的。修养方法，在我们看来正是生活方法的具体表现。譬如冯先生说：“佛家以人生为苦而欲解脱”，那么“以人生为苦”是佛家的人生观，“欲解脱”就是他们的生活方法的基本内容，而“出家吃斋，打坐参禅等”就是他们的修养方法了。若承认生活方法和人生观相连系着，那就谈不到“本然”的规律了，因为所谓“本然”正表示不容主观意识插足其间的意思。既说是讨论人的生活的精神方面，而又否定了主观意识在人生中的作用，将如何解释呢？既然承认有各种不同的人生观，而又认为不同的人生观不妨碍共同的生活方法——就是以为，一个以人生为苦而欲解脱的人会和一个以人生为乐而执着于生活的人是用共同的生活方法的，那么这种生活方法的内容，除了生理的自然的意义以外，还能有多少呢?

所以，很明白的，脱离了具体的社会实践，脱离了基本的人生观，而讨论人的一般的生活方法，这就只能触到在生活中的抽象的形式问题。在前面引过的冯先生的话中，他把“逻辑学所讲的思想方法”来做他的生活方法的譬喻，可说是很恰当的，因为这所谓逻辑正是指形式逻辑而言。形式逻辑所讨论的本是思想所表现在语言上的形式的正确与否，而毫不牵涉到思想的内容的真实与否。形式逻辑的思想方法正是脱离了思想的内容（思想所处理的客观现实）而讲思想的形式，是脱离了世界观而讲思想方法。形式逻辑的思想方法是非问题我们不在此地讨论，我们不能承认思想的形式问题可以和思想的内容问题分别开来处理，更认为生活的形式问题和生活的内容问题无论如何也分割不开来的。谁也不能说，我在生活中只要在形式上做到正确，在内容上如何则可以不问。但是冯先生在《新世训》中所提出的生活方法，却极有可能成为生活的空洞形式。因为构成生活的内容的就是具体的社会实践和人生观，而这些都被他从生活方法中抽象掉了。所以冯先生自己也说：“能尽

乎人的形式者，即是圣人。”（页二十二）

旧的道德规律之所以为人不满就因为它只是些空洞的形式。人们可以把好的内容装进去，也可以把坏的内容装进去。《庄子》的《盗跖篇》中就有个故事说：

> 跖之徒问于跖曰：“盗亦有道乎？”跖曰：“何适而无道耶？夫妄意室中之藏，圣也；入先，勇也；出后，义也；知可否，知也；分均，仁也。五者不备而能成大盗者，未之有也。”

而在《新世训》中几乎用同样的口吻说；“所谓盗亦有道者，其‘道’正是生活方法也。……一个绑票的土匪掳人勒赎，亦必‘言而有信’。不然，以后即没有人去赎票了。”（页二十八）《庄子》《胠箧篇》的作者是因为看到在抽象的道德教条下即使可以为贤，但也可以纵恶，所谓“为之仁义以矫之，则并与仁义而窃之”，所以主张“攘弃仁义”还于混混沌沌的生活，——什么生活方法也不要。他的主张虽不对，但是“逻辑”上都还能讲得通，但是《新世训》的作者却据此而以为可以证明这些教条正是人在生活中“所都多少依照底”“本然的规律”，而依从这些规律，就可得到“完全底生活”，或者完全的“圣人”。——这是何等的奇怪的逻辑呢？

正因为冯先生对于生活方法的基本看法是这样的，所以虽然确定了他的生活方法论是讨论社会生活，而且努力把“人的生活方法……与我们眼前所见的生活中底事联接起来”（页七）以之指导现在中国人的生活，但是在他的生活方法论中，我们却常常遇到人的社会性与自然性的矛盾，纠结着成为解不了的死结——而这些正是我们在认真研究冯先生的理论时所不能不指出来的。

二　何谓“理性”

在《新世训》中所提出的生活方法的第一个项目就是“尊理性”。这的确是一个庄严的发端。在我们今日所处的时代中，正是理性和反理性斗争的时期。有人鼓励着反理性的热情，来造成迷信式的信仰，有人诱发着兽性的物欲，来造成盲目的追随。在这时候，我们更应该给与理性以高度的尊重。我们也以为，生活决不能受非理性主义的支配，在健全的生活中必须放逐非理性，反理性的成分。

但是什么叫做理性呢？冯友兰先生告诉我们说：

> 所谓理性有二义：就其一义说，是理性底者是道德的；就其另一义说，是理性底者是理智底。……人之所以异于禽兽者，在其有道德的理性，有理智底理性。有道德的理性，所以他能有道德底活动，有理智的理性，所以他能有理智底活动及理智的活动。（页二十二——二十三）

假如理性的内容可以分成这两部分，那么比起旧理学家之只注重人的道德底理性来，《新理学》的作者之同时注重理智的理性，是一个进步。但是倘仅把道德与理智看做是理性中并存的二个不同部分，问题是没有解决的。我们必须进一步问：理智与道德之间的关系是怎样的呢？

我们并不是主张取消道德，并不以为在生活中不应该有任何道德观念。但我们认为，任何道德律令都须经理智的审查，才能进入理性的境地。在经过这种审查之后，道德的理性自然同时就是理智的理性，于是理性内部才能构成完整的统一体，而与其敌人——反理性主义——壁垒森严地对立着。而假如不经过这种审查，事实上就会容忍僵死的道德律令混杂到理性的领域以内来，也就是容忍反理性的成分存在于理性之中，而不能不向反理性的敌人妥协。因此，《新世训》作者自己也不能不觉得他所讲的理性并不是一个完整的统一体，其中可能发生冲突。他向自己提出了这个问题，但其答案是难以令人满意的：

> 我们所讲的生活方法注重人的道德的活动，亦注重其理智底活动。或可问如此二者有冲突时，则将如何解决？于此我们说，专就人的道德底活动及其理智底活动说，此二者有无冲突，虽是问题，但即令其可有冲突，但在我们所讲底生活方法中，则不会有问题。因为我

们所讲底生活方法是不与道德的规律冲突底。

（页二七）

由此可见，冯先生解决道德与理智之间的可能的冲突的方法其实就是：把道德规律看做是不变的定在物，而认为“生活方法”“必须是不违反道德规律的”，既然按照生活方法而生活就是理智的活动，于是理智的活动就决不致于违背这种规律。——在此，很明显的，道德与理智不仅是平等对待的，而且道德高出于理智，对于理智有着约束的力量了。道德规律完全在理智的审查能力以外！所以我们可以看到在《新世训》全书中，虽然开宗明义是“尊理性”，但在所有应该提到理性的地方，却只是提到道德。

在这里我们必须指出，问题的发生是由于我们和冯先生对于道德的看法不同。冯先生以为，所谓生活方法不与道德规律冲突并不是后者约束前者的意思，而是天然的互相适合。因为冯先生是把其实常常在社会组织中是强制力量并且随着社会而不断变更其形式与内容的道德，看做是社会组织中的本然的规律的。对于这种道德观，我们想在将来评论《新事论》时详细讨论。在冯先生的道德观中也仍承认除了“因社会之有而有底道德”（就是不因社会变动而变动的永远的道德）以外，还有“因某种社会之有而有底道德”，不过他似乎以为某一种社会死亡而代以另一社会时，“因某一社会之有”而有的特殊的道德也就自然而然地死亡了，因此就不会发生什么纠纷。其实文化的发展决不如此简单，人类意识的产物之递嬗决不会像生物界的新陈代谢那样地自然。旧时代的道德纵然已不适合于新时代的生活，但它在新时代中仍常保有一定的强制能力；在前一时代纵然它可以说是合于理性的，但在这一时代却已因其不能适合于现实的社会生活，所以被认为是非理性，甚至反理性的了。要根据现实的社会生活来判断某种道德规律之是否合于理性，那就只能靠理智的审查。纵然某些旧道德规律，在新时代中，可以用新的内容来充实之，因而能符合于新的现实，仍可被认为是理性的，但这也只有通过理智力量才能够做到。所以倘若放弃了理智对于道德的审查力量，甚至使理智服从于道德规律，其结果，将只足以让非理性的道德规律猖獗！

所以我们以为，不但要“尊理性”，而且要尊理智。因为理性的就是理智的。而这所谓尊理智又必然同时包含着——借用冯先生的话——“重客观”（页一一三）的意思，因为社会环境经常会发生巨大的变动，所以理性的生活，就必须经常顾及周围环境的变动。冯先生讲“重客观”，是用以说明“守冲谦”的道理，和我们这里所讲，微有不同。我们以为，要“重客观”就要尊理智，因为只有理智才能揭露客观现实的真象；要尊理智也必须“重客观”，因为否则理智成为悬空的东西，没有准绳了。必须是重客观而尊理智，然后我们才能真正做到“尊理性”。因为不仅道德须经过理智的审查，而且对于一切主观的产物——感情、欲望，意志、信仰等都应该承认理智有加以审查的权力，因此，所谓理性，在我们看来，正确的解释就是理智的综合。只有这样地了解理性，才能够克服理性内部的道德与理智的二元论，或任何形态的二元论或多元论，以及由之而产生的理性和非理性的二元论。

虽然我们认为冯先生的“尊理性”说有如上所述的缺点，但是在这里我们也应该指出，正因为冯先生的生活论是以尊理性为前提的，而对于理性的内容，虽然把理智与道德作了不合理的颠倒，但在他的主观的了解中，道德只是指社会生活中的一些“本然的规律”，所以冯先生在这里所着重的仍旧是人的社会方面或社会的人，这是人文主义的观点，而这正是冯先生的生活方法论中合理的片面。所以他说：“一个人若照着人之所以为人，人之所以异于禽兽者，去做，即是‘做人’。”（页十九）他也反对旧道学家的看法，以为“圣贤”并不是“社会特别的一种人”（页八）而只是最能“照着人之所以为人”“去做”的“人”。一切反理性主义者则必然都是反人文主义的，他们或者以僵死的道德规律（被看为是超于社会上的先天律令）来统制人生，或者鼓动单纯的感情与欲望来造成盲目的意志和信仰，而其为压制理性，压制人性——作为社会的人的人性，则是一样的。所以他们是只承认一面有超于人上的圣贤，一面有下于人的奴隶，而人之所以为人是被否定了的。把这被否定了的人再建起来正是冯先生的光辉企图。

但是冯先生的尊理性论，既然因为有着如上所述的缺点，而不免打开了向反理性主义妥协的后门，所以冯先生的人文主义也很难立得定脚跟。冯先生所谓“人之所以为人”，所指的“人”是抽象的社会一般的人，而不是具体的某一社会中的某种人；这样的“人”是无从令人索解的，而用这样的抽象的“人性论”怎样能战败反理性主义的人性论呢？于是冯先生就回过头去向“天人合一论”找援兵了。

三　情与理

现在我们来研究《新世训》中“调情理”的主张。

我们是主张在生活中重客观而尊理智的。但是重客观并不包含着绝灭主观的意思，尊理性也不包含着以理智来取消感情、意志、信仰与道德观念的意思。我们以为，在健全而完善的生活中，人是以重客观为前提，而在理智的光下使感情、意志、信仰、道德观念这一切都互相融和而像春雨下的百草一样一致地欣欣向荣。但是冯友兰先生则一面，如我们所已看到的，在“尊理性”论中，以道德来凌驾于理智之上，一面，如我们所将看到的，在“调情理”论中，又以理智来取消感情——这就是根据了道家学说而来的“以理化情”说。

道家之主张“无情”是可以理解的。道家主张人的生活应该回到天然状态，因此主张一切人为的东西都可不要，人与天可以合而为一，他们所主张的生活方法正是出发于这种天人合一论，所以他们可以主张无情。他们描写他们所理想的圣人——至人说：

> 圣人不谋，恶用知？不斫，恶用胶？无丧，恶用德？不货，恶用商？四者天鬻也。天鬻也者，天食也，既受食于天，又恶用人？有人之形，无人之情。有人之形，故群于人；无人之情，故是非不得于身。(《庄子》:《德充符》)

由此可见，道家所主张的无情论是一定要和“无为”“绝圣”“弃知”这些主张相联系着的。他们不仅因为“多情为累”而主张无情，亦且因为“多知为败”而主张无知。所以按照古典的道家的说法，“以理化情”是应该解释做让人之情消泯于自然之理中，而并不是熟知自然之理以达到无情。因为在人的生活完全化入于自然界中的时候，所谓知之有无，情之有无，都是不成问题的了。但倘若不主张绝灭一切人为，而独主张无情，则在理论上是讲不通的，在实际上，更无从实行。冯友兰先生固然并不主张绝灭一切人为，但是他主张：

> 对于宇宙及其间底事物，有完全了解者，则即可完全底无情。（页一二二）对于理有了解者，则对于事不起情感。对于事不起情感，即不为事所累。（页一二四）不为事所累者，并不是不做事，只是做事而不起情感。……道家的圣人，完全无情，所以无入而不自得。（页一二六）

实在是很可令人惊异的。而且冯先生对于“圣人”的解释本来是说“如人照着人所应该底去做，即是人。人之至者是圣人”（页二十）。这可说是人文主义的“圣人观”，其实比道家所论合理得多。而道家所说的“圣人不死，大盗不止”正是指的这种“圣人”，但是冯先生为什么不能坚持人文主义的精神，一转而对于道家所理想的圣人表示心向往之呢？人文主义的“圣人”和“天人合一论”的“圣人”是并不起家来的，难道还需要细论么？

了解了事物的道理，就不会对事物有感情，这说法对于自然现象是用得通的，对于社会现象却是用不通的。社会现象因为有自觉的人参加在其中，所以我们对于任何社会现象，都可以有是非的判断。我们对于一个人的行为，一次战争，一种社会制度，都可以判断其是对的还是错的，但是对于一朵花，一片云，一次暴风雨，却不能判断其是对的还是错的。对于自然现象，我们运用我们的努力，目的只能是为了充分了解其真象，其来踪去迹，而冷静地去对付它，在这方面，以理化情是可行的，因为对自然现象动感情是不必要的，是因不理解自然现象而发生的（诗的感情自然是另一件事）。但对于人事——社会现象，我们既然可以有是非的判断，自然就会有爱憎的情感。对于社会现象，我们的理解越深，越是了解其真象，其来踪去迹之后，则我们是非观念也越是分明，而爱憎也就越是深刻了。倘在这方面也主张以理化情，则不仅取消爱憎的感情，而且取消了是非的判断，是把社会现象和自然现象等量齐观了。

人们对于真理本不仅是在理智上相信，而且因为有坚信，所以就爱真理；对于真理的敌人也不仅是在理智上反对，而且因为反对，所以就憎恨敌人。孔子说："吾未见好德如好色者也"；又说："知之者不如好之者，好之者不如乐之者"。这正是说人们对于德应有热爱；光是"知之"是不够的，还要用"好之""乐之"的感情来加以充实。所以"以理化情"纵然做到，也不是值得向往的。我们只是要在理智统率下去除琐碎，狭小，无意义和虚伪的感情，而发展博大深厚真实的感情。这种感情不但不会妨害理智，而且使理智格外充实；不但不会妨碍做事，而且使做事格外有力；不但不是人生的累，而且使人生的内容丰富而光辉。

冯先生又以为可以用唯物史观来做以理化情说的根据。他认为，照"真正了解物质史观或经济史观的人"的看法，"人的行为是为他的经济的环境所决定的"（页一二九），所以我们对于任何人的行为好坏不必有爱憎的感情，因为任何人都不必为自己的行为负责；甚至对于敌人应该"虽抵抗之而不恨之"，"如修路工人的对付大石，虽必打碎之，但不必恨之”（页一三〇）。——但这只是从机械的经济决定论中可能推得的结论，而不是历史的唯物论所可负责的。因为经济环境的影响表现到人的行为上，其间仍是通过了人的主观意识的。我们深刻地理解了日本帝国主义为什么侵略中国，那正帮助了我们判断这种侵略行为是错误的，是非正义的，于是我们就更憎恶它。我们固然不恨拦路的大石——因为那是自然的物质——但不能不恨要加以抵抗的敌人。冯先生引用庄子的“虽有忮心不怨飘瓦”的说法，以为可以把人的行为看成瓦的偶然飘落一样：——人打破了我的头，我不必怨人；我打破了人的头，人也不该怨我。——但这种自然主义的看法和把人的生活从社会的精神的方面来看的基本观点是相冲突的。所以以理化情说表面上看来似乎是尊重理智，但实际上并不尊重理智，而是在自然主义的精神下消灭感情，也消灭理智。既然人生完全受自然法则所决定，则用理智来指导行为也是无意义的了。

但冯先生究竟不是在根本上站在自然主义的观点上，所以他在主张完全无情时已不能不露出许多破绽。

他说："一个人若没有无益的感情，可少受许多累，多做许多事。"（页一二六）又以谢安为例称赞他说："谢安处理大事，没有无益底喜惧。"（页一二七）所谓"无益的感情"，其所举生活中的实例也只是提到对警报的惧怕。这只是一种最琐碎，无意义的感情罢了。——惧怕本来就是低级的自然性的感情。但是为什么不能举像"先天下之忧而忧，后天下之乐而乐""孤臣危涕，孽子坠心"那样的博大深厚的感情呢？有着这种感情的人，同然也可说是背负着重累，但历史上许多伟大的人物所以是伟大的，岂不就是因为他们有着负起这种重累的勇气的原故么？并且纵然不是这样深广的感情，也并不一定就可因其为无益而加以轻视。《论语》上说："颜渊死，子哭之恸。从者曰：子恸矣。曰：有恸乎？非夫人之为恸而谁为！"这种感情的真实表现其实是比之庄子"鼓盆而歌"更为人性的，也更是合理的。在这点上也正表现了孔子的人文主义与庄子的自然主义的对立。

并且，倘真是"无益的感情"，要加以去除，仅以"以理化情"的办法也还是不够的。我们还须注意到把低级的感情提升到更高的感情的可能与必要。因为感情愈益提升就能够和理智的内容愈益接近，这样才能真正解决理智与感情间的矛盾，而使人生成为真正的完全的人生。历史上的殉道者之所以能视死如归，不为一般人的贪生怕死的感情所牵累，难道仅因为他们“看破”了生死的道理，而无所用情的原故么？他们固然没有了贪生怕死的感情，但却代替之以一段人间最深厚博大的感情，而这种感情才使他们能够无留恋地为真理而死。但假如是用自然主义的观点来化除一切人间的感情，他们又怎样能为人类而死，为真理而死呢？——从道家的学说中是产生不出殉道者的！因为照道家的全身保性论的看法，为爱真理而殉道，正是受了感情的累。但对这样的看法不仅我们不能同意，恐怕冯友兰先生也不会同意的吧？

所以冯先生也不能不觉得完全采取道家的“以理化情”说是不可能的，于是他退一步采取了宋明道学家之“有情而不为情所累”说（见页一三六以下）。但一切问题仍然没有解决。因为，如前所说，即使情对于生活是一种累，但也不一定是无益的累。假如感情是“累”，知识又何尝不是“累”？那么我们也同样可以说，“有知而不为知所累”。这样，我们就可以主张，对外物纵可有知，但不必对于任何外物有所坚持，对事情纵可有情，但不必对于任何事情有所执着。而事实上冯先生正是这样主张的，他说，感情纵然可有，也只应该片刻存在，既过之后，便当“冰消雾释”，而主张对于一切事情抱着“事不干己”的态度，以达到“有情而无我”的境地。——从这里发展出来的生活是怎样一种超凡脱俗的生活啊！在下一节里我们将继续讨论下去。

但到这里，冯先生的人文主义的立脚点确已开始“冰消雾释”了。固然这种“以理化情”说对于盲目的意志与信仰的鼓吹似乎是一服清凉剂，为了避免以先天的道德律令来束缚人的一切行为，这也似乎可以是一个安全的逋逃薮；但因为它其实却是走入了非人文主义的另一极端。己身不正，怎样能正人？冯先生既以道德归并理智，使理智不能指导人生而在那一端开了走向反理性主义的后门，又因主张以理化情而使人生还之于自然，使理智无从指导人生，而在这一端开了走向反理性主义的另一个后门，这正是因为不能在重客观尊理智的原则下确立彻头彻尾的理性主义与人文主义而在生活方法论上所必然陷入的矛盾。

四 “无为”与“无我”

道家既然主张无知，无情，以为是非是没有标准的，爱憎只是斵丧性命的“累”，所以他们当然认为在生活中，是没有什么值得争取与追求的。他们所主张的生活方法就是尽可能使自己不去干涉外界的事物，同时也使外界的事物不来干涉自己的生活，所谓“圣人处物不伤物，不伤物者，物亦不能伤也”(《庄子》:《知北游》篇)。那么这正是对一切事物采取旁观者的态度，正如热闹的大街上的闲人，对于周围的一切是无所用心的一样。这就是所谓“虚己以游世”。道家以为“人能虚己以游世，其孰能害之？”(《庄子》:《山木篇》)此之谓“逍遥游”。

《新世训》中的生活方法虽然并不和道家主张完全一致，但上述的道家的生活方法论中的基本精神在《新世训》中是可以找到的，所以在《新世训》中也列着“为无为”一项作为生活方法中的一个重要项目。所谓“无为”，照冯先生解释，就是“无所为”的意思。实际上道家也并不主张绝对无为，其所谓“无为”也正意味着“无所为”。但何以“无所为”可以叫做“无为”呢？冯先生所给的解释还不充分。我们以为把“无所为”叫做“无为”是可以的，因为“无所为”就是“无目的”的意思，而人的行为和自然界的运动之间的差别就在于后者是本然的运动，是非目的性的，前者则因为人是有主观意识的原故，是有目的性的。倘在人的行为中取消了目的性，则和自然界的运动没有什么不同。所以“无所为”就可以说是“无为”。但是在人的生活中，除了极度的白痴以外，只有婴儿时期是近乎自然的，所以道家和冯先生对婴儿生活都表示羡慕，冯先生说：“小孩子的游戏最有无所为而为的精神……他做某种事，皆是顺其自然，没有矫揉造作，所以他做某种事，是无所为而为，亦即是无为。”（页六三）这正是说，小孩子在游戏时是最无目的性。但成人，既已成为社会的和自觉的人，怎样能回到这种天然的生活呢？而且纵然这是可能的，难道这种生活就是好的生活么？

冯先生根据道家“率性而为”之说主张人随着他的兴趣所在而做事，就是“为无为”，“无所为而为”。

才是天生底，所以亦可谓之为性。人之兴趣之所在即其才之所在，亦即普通所谓性之所近。人随着他的兴趣去做，即是发展其才，亦即是道家所谓率性而行。若一个人对于某方面底事，本不感觉兴趣，或不甚感觉兴趣，但因别的原因，而偏要做此方面底事，此即不是率性而行，是矫揉造作。（页六九）

在此，冯先生把一切方面的“才”都归于天授，而这却是并无充分根据的假定。这假定在冯先生这里是必要的。因为道家的主张“为无为”，完全不计及“为”的结果如何，而冯先生则还不能完全脱开人文主义，因而要计及从“为”中所达到的成就。所以他不能不假定天授的才，而认为有了某方面的才，则做某方面的事，就自然而然的会达到一定的成就；反之，假如没有某方面的才，则虽在某方面努力去做，也达不到任何成就，——这样，他的兴趣本位的为无为论才说得通。但才由天赋的假定既然是未必站得住，冯先生的全部理论也就极难站稳。并且纵然这假定可以成立，冯先生也没有敢断言每一个人都一定有某一方面的先天的才，假如有人在任何方面都没有“才”（或所有的只是像吃酒那样的无意义的才），那么依照冯先生的主张，这些人做任何事都不免于“矫揉做作”，就不配做任何事，或只能做一些社会所强迫他的义务工作了。冯先生曾说，社会中“有些事显然不容易使人感觉兴趣底，如在矿井里作工等”（页六五）。那么这类工作倒正好让这些什么“才”也没有的人做，——世间当然没有天生“在矿井里作工”的才的人。社会的分工虽因此可以确定，但是冯先生的“率性而为说”，只能专为“得天独厚”的人而准备，不是任何人都能依照着做的了。既然不是任何人都能依照着做的，这就和冯先生对生活方法的基本观念相违背了。这样看来，所谓“为无为”，就冯先生的理论体系本身说，也就是站不住的，不能算是一种“生活方法”。

更进一步看，冯先生虽不认为，行为之有否成就是无关重要的事，但他以为人们在行为中预先对于其所将达到的成就及其效果有所存心是不必要的，而且是对行为的进行有害的。——从这里产生一种绝对的反功利主义。原著以作诗为例：有诗才的人之作诗只是“他的诗才的自然之发展”，即是“无所为而为”，而没有诗才的人“因羡慕诗人之可得名誉或富贵而作诗，所以他作诗是有为而为，他作诗是矫揉造作，所以他作诗是有为”（页七〇）。但是为名誉或富贵而作诗，这只是目的不正当，不能据以认为目的在行为中是不必要的。我们也反对个人的功利主义，但是人既是社会的人，则可以而且我们以为应该是一个社会的功利主义者。也以作诗来为例，我们以为纵然这人是“天生”的诗人，因“性之所近”而作诗，但他作诗仍可以是因某种社会的目的而作诗，这种目的之存在不会妨碍他的诗才，而且或者正因执着于这种目的，他的诗是更有价值的。我们可以用冯友兰先生之写他的“贞元三书”来做例子，我们当然可以承认冯先生在写这些书的方面是有“天才”的，但他也说：“我国家民族高建震古铄今之大业，譬之筑室，此三书者，或能为其壁间之一砖一石欤？”（本书“自序”）——这正表明了他写在这书时是有目的的，是有所为的。这目的的存在没有损害冯先生的工作，反而因为这种目的，我们对他的工作更多一分尊重。假如他写这些书只是“无所为而为”，我们也不会尊重他们而来仔细地讨论了。这种在生活活动中社会的目的之存在正因为人是社会的动物的原故。道家只从自然意义来看人生，而自然的运动是无目的的，所以人生活动当然被认为是不应有目的的了。我们既然要从社会方面来看人生，我们当然主张在生活中贯彻着社会的目的。所以从现实的观点来看，为无为论也是站不住的，不能算是合理的生活方法。

冯先生自己也觉得道家在这方面的说法不能完全行得通，于是他又用儒家的“就道德方面说”的“无所为而为”来补充前说。还就是说，人们在生活中还有一部分事情是在道德上应该做的，做其所应该做的事，也不必计较功利。这所谓应该做的事，照冯先生的意思，似乎可以分做两部分：一部分就是“显然不容易使人感觉兴趣底，如在矿井里作工等”（页六五），另一部分是“正其谊不谋其利，明其道不计其功”所指那一类事（页七五）。对于后一部分的事，“不计功利”诚然是可说的，但也是说不计较此事对个人的利害，并非不计较此事对社会的利害；只是说不计较其事在自己手里的成败，并非不计较其事在社会的范围内的成败。所以就这一部分的事情说，“为无为”是说不通的，因为这并不是“无所为而为”。就前一部分的事情说，那就连“不计功利”也说不通了。难道冯先生以为在矿井里作工，只要每分钟紧张地出力作工，不必顾到工作的效果么？而且也不应该计较工作时间是否损害自己的健康，工资是否能使自己一家人吃饱这一类个人的利害问题么？

最后，我们还应该指出：纵然我们能实行了冯先生的凑合道家思想与儒家思想而成的“为无为”的生活方法，结果还是如冯先生所说的：“一个人一生中所做的事大概可以分为两部分。一部分是他所愿意做者，一部分是他所应该做者。合乎他的兴趣者，是他所愿意做者；由于他的义务者，是他所应该做者。”“愿意做”与“应该做”，“兴趣”与“义务”的矛盾并未因“为无为”而解决。这种矛盾就是道德和情感间的矛盾。既然冯先生未能解决情感与理智的关系问题，并且又把道德看做超越理智的，则道德和情感在生活中就不免发生强烈冲突。宋明多数理学家对这种冲突是主张以“应该”的标准压倒“愿意”的标准，道家的主张则相反。冯先生在这里是偏向道家路线的，他之承认在生活中的“应该做者”这一部分似乎不过是为了迁就现实社会的不得已办法。所以他说：“在道家所说底理想生活中，一个人只做他所感觉有兴趣底事，在道家所说底理想底社会里，所有的人都只做他所感觉有兴趣底事，如果这种生活，这种社会事实上可以得到，这诚然是最理想底。”（页七二）现实上的矛盾就从“理想”中得到了解决！

于是冯先生的生活方法，在这里也就成为教人怎样从生活中超脱出来的方法，怎样从此岸渡到彼岸去的方法，怎样从社会超越到自然界去的方法。在“守冲谦”篇中，冯先生说：

> 宇宙是无穷，把自己的眼界推到与宇宙同大，亦是一种“游心于无穷”。在这样大底眼界中，无论怎样大底事业学问都成为渺小无足道底东西了。这些渺小无足道底东西，自然不足介于胸中。（页一一八）

若说，人的眼界应该放宽以祛除自骄自满的心理，这是我们所同意的，但人的眼界无论怎样放宽，也仍只能用“人间世”的眼睛看人事。冯先生所说的这种守冲谦的修养方法的最高点其实已经不是“生活”的方法，而是超越生活的方法，乃至是取消生活的方法了。再和前面已讨论过的“完全无情”与“有情而不为情所累”的主张联系起来看，我们就更可以明白按照冯先生的生活方法，我们所得到的方法不是别的，正是道家的“逍遥游”。

前一节我们只论到“无情说”在冯先生的理论上的矛盾和在事实上的不可能，现在我们可以再进一步看。冯先生的无情有二方面意义：第一是“对事物有了解底人，应付事物，可以自己无情”；第二是“一个人若能循理而动，则别人对之，亦可无情”。(页一三一)这就是说，人与人之间，不必有什么感情，不必有任何爱憎，对于人事，也不必有什么感情，不必有什么喜怒。完全无情的状态，谓之“恬愉”。其解释是：“圣人无情，其心中如无波浪底水。庄子说：‘圣人心如止水’，正是说此状态，此状态是静底，可以说是恬。此状态使人有一种静底乐。此静底乐即所谓愉。”（页一三四）你若不能理解这种恬愉的乐，那么可以从婴儿生活中得到实例，“当小孩子时候的游戏，——冯先生说，——是人的生活中底最快乐底一部分”（页六四）。这所谓快乐就是指恬愉之乐。其实用小孩子做例尚不妥当，因为十岁上下的小孩子已经对人对事有爱憎喜怒了，古典的道家是用婴儿来例解的。老子说：“我独泊兮其未兆，如婴儿之未孩。”你从吃奶的孩子身上，或醒或睡之时，的确似乎可以发现一种静底乐。但是人的生活进入了婴儿状能，那是一种什么生活呢？

真正的现实生活是应该爱人，憎人，也让人爱，让人憎的。子贡问孔子说：“乡人皆好之，何如？”孔子说：“未可也。”“乡人皆恶之，何如？”“未可也，不如乡人之善者好之，其不善者恶之。”（《论语》:《子路》篇）爱某一些人也为这一些人所爱；憎某一些人，也为这一些人所憎，这才是真实的也是真快乐的生活。

生怕有情即为情所累，因而纵不能绝对无情，也努力要做到“有情而不为情所累”这种主张实在是害怕现实生活之累，害怕因对人对事有一定的态度，即有所坚持与执着，害怕旁人对自己有一定的态度，即可能发生冲突。所以冯先生认为要做到有情而无累，就必须“有情而无‘我’，亦可说是，虽有情而情非‘我’有”（页一三六）。而这样的情就能在心中片刻消释，“如太空中虽一时有浮云，但浮云一过，太空仍是空空洞洞底”（页一三七）。一个人倘能在生活中间取消了“我”的自觉成分，就自然对一切事情无所执着，也就自然能从生活的此岸跳跃到彼岸去了。所谓“忘乎物，忘乎天，其名为忘己，忘己之人，是之谓入于天”（《庄子》:《天地》篇）就是这样的境界。

但是还跳跃毕竟只能是心理上的。因为实际的生活总是在现实的此岸。这个矛盾是无论道家，无论以儒家来修正道家的冯先生所解决不了的。实际上生活在此岸，却在心理上跳跃到彼岸，对生活采取观照态度；实际上是社会的人，却想用自然的眼睛来看人世，对一切人事采取不关心的态度；实际上是自觉的人，却以无我的态度来应付人事，在一切行为中采取“无所为而为”的态度。这难道就是冯先生向生活在这一个激烈的大时代的中国人所指示的生活方法么？难道在这时代中我们为了得到合理的生活，首先就应该学会对于环绕着我们的一切事变，尽量地采取不关心的态度么？

五　理想与现实

我们已经知道，冯先生在论“为无为”时，曾经把“理想的生活”和“理想的社会”联带着谈，那就是说：只有在道家的理想社会中，才能完全实现道家的理想生活。这是不错的。道家对社会的理想对不对，那是另一问题，我们现在无须来讨论人类所可能建立的完善社会到底是怎样的。但是我们也承认：只有在理想的完善社会中，人才能过一种理想的完善生活。那么也就很明白，假如想把只有在理想的完善社会中才可能的理想的完善生活，实施于并非理想完善的社会中，那就不能不处处遇到障碍。或说，在并非理想完善的社会中，人纵不能完全实现理想的完善生活，但也可以采取用以达到理想的完善生活的那种生活方法，来使自己的生活渐渐进于理想的完善，并使社会渐渐进于理想的完善。假如把冯友兰先生的许多主张都从这样的意义上来解释，我们不能不表示更多一点敬意。但我们也仍不能不指出他理想的完善社会中的生活方法实行于并非理想完善的社会中，不仅是不可能的，而且也不能发生改善不完善的社会的作用。事实上为了把不完善的社会改进到完善的社会，那就不能不需要另一套生活的方法，依据这种生活方法的生活比起在理想的完善社会中的生活来，也许只能说是较不完善的，但却不能不说是在不完善的社会中的最完善的生活，——这是现实的完善生活。人到底不可能按照理想的完善生活的方法，而只能按照现实的完善生活的方法来生活；只有在理想的完善社会已经变成了现实的社会时，理想的完善生活的方法也才能变成现实的生活方法。

譬如说，我们也可以相信，在遥远的将来的人类社会中，可能是所有的人都根据自己的兴趣而做事，许多在现在社会中被认为无兴趣的事——如在矿洞里工作——也因科学技术和社会组织的改进之故而成为是有兴趣的。所有的人都可以完全不必为自己的个人利害打算，因为社会组织能使人人满足，而且甚至可以不必太计较社会的功利，因为社会组织的完善已能使一切人的工作都共趋于一定的社会目的。那么，冯先生的“为无为”的生活的理想只有那种社会里才能成为生活的现实。由此可见，冯先生的“为无为”的生活方法从理想的意义上看，纵然是值得尊敬的，但从现实的意义上看，却仍无异于叫人的生活超脱现实，逃避现实，而这种生活方法之并不能帮助非理想的社会进入理想的社会是更不待说了。

冯先生所主张的“行忠恕”的生活方法也可以这样来看。照冯先生的解释，“己之所欲，亦施于人，是忠。己所不欲，勿施于人，是恕。”（页三五）假如在一个社会中，所有的人都能以这种方法待人，这社会的确是一个好的社会。但这样的好社会在现在还是理想而不是现实。

冯先生自己指出执行忠恕之道的一种困难说：“或可说：讲忠恕之道者，都以为人的欲恶是相同底。如人的欲恶是不相同底，则此人之所欲或为别人之所恶。如此人推其所欲，施于别人，则别人适得其恶，岂不大糟？”（页四六）是的，这是一个困难。冯先生自己对这困难的解释却不能令人满意。他说：“凡关于人底学问，都是以人的大致相同为出发点。生理学及医学以为人的生理是大致相同底。心理学以为人的心理是大致相同底。

若在这些方面，每人各绝不相同，则即不能有生理学，医学及心理学。”（页四六）但是生理学，医学及心理学都是把人当做一个自然的动物来处理的，而关于生活方法的学问却不能不把人当做一个社会的动物来处理。前者与后者，不属于同一类的学问，不能相提并论。倘以“口之于味，有同嗜也；目之于色，有同美也”，来证明人在社会的行动中欲恶也是相同的，那就是“不知类”。人在生理的行动中的欲恶即使也有相互差异，却如冯先生所说的是“大同小异”，好比人人都好吃美味是“大同”，有人好吃鱼，有人好吃熊掌是“小异”。但是在社会的行动中的欲恶，以全社会的范围来说，现在都还不仅没有“大同”，而且有大异。

正因现实的社会还不是在大同世界中，所以在人与人之间还有着许多不理想的关系。有侵略者，也有被侵略者；有高高在上的统治者，也有哀哀无告的小民；有重利盘剥的高利贷者，也有还不了债的穷人……以忠恕之道劝告侵略者，统治者，高利贷者纵出发于善良的心地，但其奈于事实无补何？而且坏人未始不可以在某些行为上利用冯先生的“忠恕之道”。人们可以说：我自己喜欢人逢迎，所以我也逢迎人；我自己喜欢金钱，所以我也用金钱收买人……而假如向被压迫被欺凌的人讲忠恕之道，难道是教他们用忠恕之道对付敌人么？冯先生曾说，在某种社会中要尽某种人伦，所谓人伦本来只指父子兄弟朋友这一类的，但是“四海之内，皆兄弟也”毕竟还只是个理想。在这个战斗的时代中，不能不公开承认敌人也是“人伦”中的一种，而且是重要的一种，因为生活在现代社会中，人是不能不除了学会怎样对待朋友外，更要学会怎样对待敌人的方法。冯先生解释忠恕之道说：“一个人于待朋友的时候，对于每一事他只须想，他所希望于朋友者是若何，则当下即可得一行为标准。”（页四一）这正是说明忠恕之道是只能实行于朋友之间的。而很显然的，在敌对的关系中，我们却绝不可能从我所希望于敌人者是若何得到对待敌人的行为标准。我们是希望敌人投降，而我们自己则永远坚持立场；我们是要一面消灭敌人，一面要保存和发展自己。这正是在现实社会中所必要的非忠恕之道。或说，对待敌人也仍是可以实行忠恕之道的。真理与正义倘若其实是在敌人方面，我们就愿意放弃自己立场，投降敌人；真理与正义是在我们方面，我们也就可以要求敌人放弃立场，投降我们。这样说，固然可以讲得通。但是在这里决定行为标准的，显然并不是忠恕之道，而是真理与正义了。于是冯先生所说，“忠恕之道的好处，即行忠恕之道者，其行为的标准，即在一个自己的心中，不必外求。”（页四〇）“己之所欲，亦施于人；己所不欲，勿施于人。此欲或不欲，正是一般人日常所有底欲或不欲”（页四二）就说不通，而冯先生所主张的作为生活方法的忠恕之道也就行不通。

人与人之间除了相亲的关系外，还有对敌的关系。有对敌关系，不能不有斗争。不过冯先生以为“提倡人与人斗争者是讲不通的”，“可以提倡者，只能是团体与团体间底斗争，不能是一团体内底人与人斗争”（页一〇四）。但是既承认有团体与团体间底斗争，也就不能不承认这团体内的人与另一团体里的人之间的斗争。对汉奸的斗争固可以说是爱国者的团体与汉奸的团体间的斗争，但，譬如说在上海那样的地方，过去几年内就直接地露骨表现着爱国者与汉奸之间的人的斗争。在现实的社会中，团体与团体间的斗争，真理与伪理间的斗争，正义与非正义的斗争，理性与反理性的斗争都不能不具体表现为人与人间的斗争，这是人在现实社会的生活中所回避不了的。

在社会中还有反理性，有非正义，有伪理，这自然表示这社会还未至理想的完善；在人的社会生活中还不得不包含着斗争，还不得不一面以忠恕之道对待朋友，一面以坚决的斗争对付敌人，这种生活确也不能说是理想的完善。但假如理想的生活是没有在人与人之间的斗争的，那么为了得到这种理想的生活和作为这种理想的生活之根据的理想的社会，人们却不能不采取斗争的手段，这正像人们有时不得不用战争的手段来达到世界和平的目的一样。在表面上看去似乎是自相矛盾，然而却是现实的、合理的。

理想与现实的矛盾是存在在现实社会中，人们就不能不用这种表面上看去是矛盾的方法来处理生活。这种矛盾的方法的基本出发点就是：一面承认现实，一面追求理想。承认现实就是要使生活适应于现实，追求理想就是使生活向理想推进。但是这又并不是说，把生活划分为二部分，一部分是承认现实，一部分是追求理想

（冯先生的划分“应该做”与“愿意做”就是这样的），而是说：这二者是同一生活中的两方面，在每一生活行动中，同时是承认现实，同时是追求理想。

我们可以看到这样的两种人。一种是所谓空想家的。他们只知道追求理想，从来不打算承认现实。但因为他们抹煞现实而追求理想，却无能力认真改革现状，在实践上就只得向现实投降。另一种人是只肯承认现实而不敢追求理想，因为他们无理想，所以他们把现实中的一切既成要素都看做是不可触犯的理想，那就更是直接为现状保镳了。道家思想属于前一类型，儒家思想属于后一类型。儒家思想建立了为身份等级制辩护的道德规律与理论，所以二千年来成为封建社会的保护神，那是不待细说的，像《新世训》中从《大学》上来说明忠恕之道的“所恶于上，毋以使下，所恶于下，毋以事上”等语正是封建等级制的合理化的说明。至于道家思想，虽然像是极高超的理想主义，但是向其反对方向的移行也是非常明白的。因为道家生活方法的出发点是“绝圣弃知”“反朴归真”，所以主张要“毋以人违天”，要“率性而为”，所以要“从水之道不为私”，“以鸟养养鸟”。

但是生活到底不是专对“水”“鸟”这种自然物，还要对付人。理论上是人与天合一，实际上还要过“人间世”的生活，也就不得不讨论如何应付人间世的问题。而根据其一贯的逻辑，就自然只能主张：“形莫若就，心莫若和。……彼且为婴儿，亦与之为婴儿，彼且为町畦，亦与之为无町畦；彼且为无崖，亦与之为无崖。达之人于无疵。”（《庄子》：《人间世》篇）这就是说，在外形上一切随和旁人，旁人怎样，你就怎样应付他，但求无过，使人无疵可寻。纵然还有“心莫若和”的保留，但是在事实上已和从俗附世的人并无不同，是向丑恶的现实投降，并且加以支持了，是一种最可卑的市侩主义了。

这就是儒道可以携手的原因。在千余年来的封建社会的地主统治者，是常常在实际生活里面把儒道二者兼收并蓄的。我们现在在冯友兰先生的书中看到儒家思想与道家思想的合作，也不算新奇的事。从儒家借来了其道德观念，从道家借来了其对生活的自然主义的看法或理想，拼在一起，虽然加上了新的意义，对二者的本质是改变不了多少的。而若以为从这里面可以产生现代中国人的理性的生活方法亦何异于缘木求鱼呢？

我们要承认现实，但并不是承认现实就是不变的真理，而是在承认现实中追求理想，也就是深入到现实中，改革现实，而达到理想。我们要追求理想，但并不是把理想来当做渡过苦难的现实生活时用以自慰的蜜糖，也不是要一步跨过现实去捉捕不可触的青鸟。我们要认真地，切切实实地生活在现实中间，承认现实中的苦难和从现实达到理想的艰苦的距离，因此就要一面忍受这一切苦难，一面用合于现实的武器来击退这一切苦难。只有采取这样的态度才真能解决现实与理想的矛盾，也才能够建立可能的合理的生活方法，——这种生活方法是可能的，因为它是不脱离现实的社会的，这种生活方法是合理的，因为它是从现实向理想前进的斗争武器。假如“彼岸”确是好的理想，那么我们也只有以“此岸”的物质条件做基础来制造舟楫，横渡过去，才能真正达到彼岸；倘若只是在心理上跳跃到了彼岸，而对此岸采取旁观态度，结果不过是让我们的现实生活永远留在此岸，而永远保留着现实与理想之间的距离和矛盾。

一九四二年七月二十五日写完

评冯友兰著《新事论》

《新事论》是冯友兰先生的“贞元三书”的第二本。在《新世训》序言中说，《新事论》是讨论文化社会问题的。在本书序言中说，本书是讨论当前实际问题的。的确，我们只要把本书目录一看，就可知道所涉及的问题实在很多，是把当前许多文化社会问题都放到著者的哲学家的眼睛前面了。生产建设问题，中西文化的关系与区别问题，家庭问题，妇女问题，教育问题，革命问题，以至抗战建国问题，都曾在本书中讨论到。而在序言中又有一句画龙点睛说道：“为说明此书宗旨，故又名曰中国到自由之路。”接着还有几句也不是空话：“二十七年为北京大学成立四十年，同学诸子谋出刊物以为纪念，本书所论清末民初时代之思想，多与北大有关系者。谨以此为北大寿。”在本书中著者不仅提出了自己的“新”的见解，而且批评清末民初的思想，特别对于与北大有直接关系的“五四”时代的思想做了一个新的估价。——这些就是《新事论》的内容的要点。

对于这书所论的一切，我们认为，有些地方我们很愿表示同感，但也有些是我们所不能不提出异议的。但无论对于我们所同感或异议者，此地都只能提出基本的几点来说一下。

基本的观点

在本书第一篇“别共殊”中著者提出了一个根本观点，那就是要从文化的类型的观点来看西洋文化和中国文化。他以为，无论中国文化还是西洋文化，都是五光十色的全牛，只有从“类型的观点”来看，才能辨明其中那些是主要的性质，那些是偶然的性质，于是才不会笼统地把西洋东西搬运回来，也不会含糊地把中国旧东西保存下来。他以为，对于西洋文化的那一类中所包含的诸种性质，“其主要底是我们所必取者，其偶然底是我们所不必取者”；而对于中国文化的那一类中所包含的诸种性质，“其主要底是我们所当去者，其偶然底是我们所当存者，至少是所不必去者”（页十六）。

把这样的观点正确地发展下去，无疑的，是比复古论，本位文化论好得多，因为后者正是主张保存中国旧文化中的主要部分，充其量只有舍弃一些偶然的部分，而阻塞了中国文化的进步发展之路。也比全盘西化论高明得多，因为全盘西化论者是连欧洲中世纪文化与近代文化的区别，连希特勒与孟德斯鸠的区别都不重视的，以为要西化，就该把巴力门和修道院一起都搬来。而《新事论》的著者则确定地说，西洋化这名词不妥，应该说是现代化，中国不是要西洋化而是要现代化，不是要变成和欧西国家的文化一模一样，而是要变成和欧西国家同属于一个文化类型。——这说法诚然也是比较正确的。

这还是概括的说法，具体地说，所谓“现代化”到底包含怎样的内容呢？这从本书第三篇“辨城乡”，第四篇“说家国”中可以看到。中国必须从“生产家庭化底文化”转变为“生产社会化的文化”，然后中国才能在世界范围内从“乡下人”的地位进步为“城里人”的地位，这便是著者所说的现代化的意义。在这里，著者所采用的说法，对大家虽然是很陌生，但不可否认的，著者是用他自己特殊的用语和说法，说出了中国人民近六十年来自觉地在不断斗争中所争取的目标：民族的独立和民主的建立。照著者自己的说明，所谓不再做乡下人就是不再停留在殖民地、半殖民地的社会和文化中的意思，所谓脱离生产家庭化的文化也就是不再停留在封建、半封建的社会和文化中的意思。

这本是十分清楚的事。只要有良心肯看事实的人都应该看得出，中国文化之所以落后，在基本上就是因为一个半殖民地半封建社会所受到的种种障碍。那么踢开这些障碍就是解决一切问题的前提，改变半殖民地半封建的旧的状态就是中国走向自由之路的始点。本书著者虽没有用一般社会科学所用的术语，但他是说出了这个真理的，而且他的独特的说法，在有些地方是显得非常生动的。

著者在这里表现出了他的理论的特色，他不去参加那种寻觅一些空洞的标准来区别中西文化的徒劳的努力，而从根本上看出这种区别是由于不同的社会物质基础——生产方法生产制度。他说：

> 产业革命使人舍弃了以家为本位底生产方法，脱离了以家为本位底生产制度。经过这个革命以后，人用了以社会为本位底生产方法，行了以社会为本位底生产制度。有了以家为本位底生产制度，即有以家为本位底社会制度，以此等制度为中心之文化，我们名之为生产家庭化底文化。有了以社会为本位底生产制度，即有以社会为本位底社会制度。以此等制度为中心之文化，我们名之曰生产社会化底文化。（页五六）

由此，一切中西文化的异同问题显得相当清析。本书讨论问题虽多，却能很谨严地构成系统，处处贯彻着统一的线索，这是不能不归功于这个根本观点的。

但是我们也不能不指出，著者在这里的用语的含混，从而引起了的概念的模糊。所谓以社会为本位的社会，照著者自己说，是有两类的：

> 生产社会化底社会亦有两类，一是生产社会化而支配家庭化者，一是生产社会化支配亦社会化者，前者是普通所谓资本主义底社会，后者是普通所谓社会主义底社会。

这段话，在一定程度内，是可以说的；但联系到前面著者对于社会生产方法的说明就不能不发生问题。按照著者的系统，社会主义的生产方法与资本主义的生产方法都属于同一类型中，都是以社会为本位底生产方法。所谓支配形式不同诚然是对的，但支配形式何以会不同呢？倘不从生产方法中间，从何处可以找到解释呢？资本主义的生产方法与社会主义的生产方法其实是根本对立的，因为在前者的生产方法中包含着剥削关系，后者则否。但是《新事论》著者所说的生产方法则是和在生产过程中人与人的关系无关的，因此就只剩下了技术的意义。只有把生产方法解释成生产技术，那么才可以说，资本主义和社会主义属于同一的生产方法类型中。但这种说法是不对的，因为这既不能说明资本主义的生产方法，也不能说明社会主义的生产方法。

显然的，这不是一个名词之争，不是一个不重要的问题。因为谁要是把生产方法看做只是生产技术，谁就会把从一种生产方法向另一种生产方法的转变，一种社会制度向另一种社会制度的转变，看做只是改进生产技术的事情，而用到我们当前的现实中，就会把“中国到自由之路”看做只是生产技术的不断的改进，认为中国脱离半封建、半殖民地的方法就只是运用机器，建设工业。问题被单纯化了，而问题也就解决不了。——《新事论》的著者正是这样做的。

历史的翻案

因此，《新事论》的著者轻视思想意识的改造在改造中国过程中的作用——于是他抹煞了“五四运动”（事实上，“五四运动”还不但是思想意识的改造的运动，这里且不深论，就照本书所说明的范围来讲）。他又轻视政治改革的作用，——于是他低估了辛亥革命的意义。他所了解的中国到自由之路就是只来一次“产业革命”，而其内容就只是用机器，建工业，于是他引清末的洋务运动者为同调，而加以称扬。

在本书中受到最酷烈的批评的所谓“民初人”就是指那些“要打倒孔家店，打倒吃人的礼教”“说女人应该学什么娜拉”的人，无疑的，那就是指“五四运动”时候的人。在本书中备受推崇的所谓清末人，就是主张“中学为体，西学为用”的人，也很显然的，那并不是指译《群已界限论》的严又陵，著《大同书》的康南海，撰《仁学》的谭浏阳，而只是指同光期间的张之洞等人。于是著者说：

> 如果清末人的见解，是“体用两橛”，民初人的见解可以说是“体用倒置”。从学术底观点说，纯粹科学等是体，实用科学技艺等是用，但自社会改革之观点说，则用机器兴实业等是体，社会之别方面底改革是用。这两部分人的见解都是错误底，不过清末人若照着他们的办法，办下去，他们可以得到他们所意想不到底结果；民初人若照着他们的想法想下去，或照着他们的说法说下去，他们所希望的结果

却很难得到。（页五一）

这里每一句话都是一半对的，一半不对的。“自社会改革之观点来看，则用机器兴实业等是体，社会别方面底改革是用”，这句话里有一半是对的，因为从社会的整个发展过程看，当然没有相当程度的物质基础——就是相当程度的机器的发展，则政治与文化上的民主改革是不可能的；但是这句话另一半是不对的，因为把社会的一般的发展过程和社会的改革过程混同起来是不对的。机器实业的发展是渐进的，这渐进过程到一定程度不能不引起巨大的彻底的社会改革，这种改革虽有先行于它的经济变革做基础，但作为这种改革的中心问题的却是政治上的变革。这正是因为政治是经济的集中表现，与旧的生产力相结合的旧生产关系是以旧的政治作为保障而成为僵化了的存在，阻碍着新的生产力。所谓社会的改革正是改变旧的政治，从而改变旧的生产关系，从而使新的生产力顺遂地发展起来。由这意义上，无宁说，自社会改革的观点看，政治的变革是体而社会底别方面改革却是用。同时“清末人……可以得到他们所意想不到的结果”，这句话也有一半是对的，因为“清末人”以为他们尽管开工厂，用机器而整个社会，政治制度，思想意识仍可一成不变，但不料星星之火，可以燎原，事实上，他们在生产力方面所进行的那些局部的变革却成了促起整个社会变革的一个因素。但这一句话也仍有一半是不对的，因为说这句话的人以为只要让这批清末人按部就班地把实业渐渐地发展起来，不必用任何突变来“扰乱”它，则整个社会自然而然地就会变革过来。这说法是完全不合事实的。而其对“民初人”的批评也有一半是对的，一半是不对的，假如把“五四运动”和其前后的历史关联割断起来看，则“五四”时人主张之错误或犹甚于《新事论》中所批评者；但若从整个历史发展上来看，则“五四运动”的思想变革运动，正是截至当时经济政治上的变革的反映，并且成为了推动以后的经济政治变革的一份力量。——这点却是《新事论》著者所未曾看到的。他以为“五四运动”不仅对于中国向自由之路毫无帮助，而且发生了“使清末人的实业计划晚行了三十年，此即是说，使中国的工业化，晚行了三十年”的消极作用。

《新事论》的作者对于上述诸点，是从对的一方面出发的，但却越走越远，越走向不对的那一方面去了。从而他以为清末人的方向是完全对的，张之洞一班专制主义政权下的大臣们的错误似乎只在于他们没有自觉到自己是在做着改造中国，使中国自由的伟大工作。他以为现在的工作也无非就是“继续清末人的工作”。却不知道，张之洞等的洋务运动在当时的帝国主义束缚与专制主义政治的压束下已经走到了山穷水尽。李鸿章预备拿来办海军的经费不得不移用去做慈禧太后的生辰礼，用以建筑颐和园，由此一例也就可以见得兴实业，办工厂在当时的政治社会关系不变的情形下是如何无前途的一件事！就从抗战前后的许多办工业者的实际经验也可以说明，使中国从“乡下人”地位，从半封建关系下解放出来，并不是工业继续发展的自然结果，而却是使工业能够畅遂地发展的前提。

《新事论》中不仅轻视“五四运动”，而且也轻视辛亥革命。他评论辛亥革命说：

中国的辛亥革命是以种族革命始，而以政

治革命终。我们在现在平心而论，清末当局在政治经济文化各方面所行底政策，并不能说是全盘底不对。若果没有所谓满汉种族问题，如果当时底皇室是姓刘底，姓李底，姓赵底，或姓朱底，辛亥革命可以没有，国家的组织中心不致崩坏，则中国的进步即可少一番迟滞。（页一九九——二〇〇）

推翻了一个封建的专制王朝，使亿兆生民开始从专制压制下苏醒过来、站立起来的辛亥革命，在冯先生看来，其意义却只是使中国的进步多了一番迟滞，是破坏了国家的组织中心！他所“平心而论”认为满意的满清的政策，正是满清政权为抵消当时革命运动而施行的一点最低限度的在政治经济文化上的改良政策，这在当时都没有能使人民满意，革命者更没有上这骗局的当，却居然能使五十年后的学者认为凭这就可证明满清政权乃是一个值得维护的国家组织中心！而在本质上这乃是一个反动的专制政权，却似乎反而是不值得重视的事！假如在辛亥当时的人，以为辛亥革命只有种族革命的意义，那是还可原谅的（就在当时，中山先生已经批评这种人了）。而在今日，仍作如此想法，却实在太奇怪了。难道我们可以说，中国在政治上是一个专制政体的国家还是一个共和政体的国家，对于中国毫无意义么？

对近代史的这个翻案，我们敢断然说是不合乎历史的实际的。

清末人的洋务运动对历史不是没有意义的事，而它在历史上的主要意义正是在于它给后来的政治与文化的变革开始准备下了物质的条件，并且由它第一次实际证明了若不根本改革殖民地半殖民地的地位和封建专制主义的政治，工业的自由发展是不可想像的。因此在洋务运动之后，紧接着就是戊戌政变；而这种由上到下的政治上的改良运动失败以后，跟着又有辛亥革命；但辛亥革命又因革命的力量和其各方面强大敌人对比之下过分软弱的原故不能完全成功，于是有“五四运动”，进行群众中的思想意识上的民主改造大运动，并从而发展出了民主政治的要求，确定了反帝反封建的要求；于是有“五卅”，有北伐大革命，一直到今日的抗战。这一连串的运动正是一个接一个，一步紧一步的，向着“中国的现代化”，“向着自由的中国”的目标前进的过程。我们无法想像假如没有辛亥革命，“五四运动”等等，而让“清末人”的工作一贯发展下去，中国就会自由；正如我们无法想像，假如在五年前不爆发抗战，只要和平地发展工业，中国就能自由一样。

而且问题不仅是对历史的估计。对历史的估计就是对实践的态度。假如以为中国过去除了“中学为体西学为用”派的工业建设以外，其余一切都是毫无意义的事，那么在实践上当然就不能不把工业建设看做唯一的工作了。但是同样的工业建设，在本质上却可以有种种差别：满清封建统治者曾企图举办一些工业，帝国主义也曾到中国来兴办工业，但照《新事论》中的意思，则只要工业发展下去，就能成为产业革命，就能发生改造中国的效果，就能使中国自由。因此，今后的工业建设也就无非是清末人的工作的直接的继续而已！而我们现在要使中国自由，也就只要努力去开工厂，兴实业，政治问题不必管，思想意识的改造更不必管。（那么，抗战的胜利要不要呢？）——这是把我们的历史何等地单纯化了啊！这是把我们的现实任务何等地单纯化了啊！

图式的失败

为什么会对于历史的估价和当前实际的任务，形成这样的误解呢？我们不能不在这里多说上几句。

第一，改造社会是全面的工作。固然从纷繁的头绪中分辨出何者为主，何者为从，是必要的事，能够看出在一切社会现象中生产方法，生产制度之决定意义，因而认定社会的改造在基本上就是生产方法的改造，这也是合于科学方法的。然而所谓生产方法不仅是表示人用什么工具去工作，而且表示工具的主人是谁，并因人对工具的关系的不同而发生了人与人的关系——生产关系的不同。那么，改造生产方法就必然不仅包含着改造生产技术以发展生产力的意义，而且包含着改造人与人间的生产关系的意义。照冯先生那样以为只要改变人在劳动中所使用的工具，不必有意地去改变人与人的关系，而结果一切会自然而然跟着改变，是完全不对的。

第二，事实并不能完全符合于冯先生所那样机械地了解的图式："生产方法随着生产工具而定，社会组织随着生产方法而定，道德随着社会组织而定。"（页六六）

试把一辆最新式的耕种机摆到四川农村里去，你看它的生产方法和社会组织变不变？人们固然可以说，这是因为一辆机器的原故，要是有很多很多辆在使用，当然一切就会变动。是的，这话我们承认，但为什么我们在农村里至今不能使用很多辆的机器。是仅因为我们没有机器的原故么？是仅因为没有人会使用的原故么？当然不是，而是因为我们的农村的生产关系和社会组织中有着阻止机器使用的因素。所以生产关系和社会组织若没有相当改变，则新的生产技术（就是冯先生所说的生产方法）也就不能发挥作用。这难道不是很清楚的事吗？为什么满清王朝并不能真正使中国工业化起来？这并非因为他是满洲人，而是因为他是封建关系中的统治者；为什么当时中山先生所提出的革命口号是建立民国，而不是单纯的发展工业？那正是因为满清王朝那个“国家的组织中心”对于新的生产力，新的社会力量，是一种束缚，必须加以打破，建立民主国家，才能使新的生产力获得顺利发展的环境，而实现新的生产方法。（至于辛亥革命的任务并未充分实现，那是另一问题。）我们丝毫不想否认生产技术改进所能起的作用，但这作用是有限度的，是一面的，它只能促进生产力在一定程度内的生长，从而影响到生产关系，使生产关系不能不变动。政治上的民主化正是具有着使生产力在旧生产关系的束缚下解放出来的意义。所以不能以为政治改革是因生产技术改革而自然而然地引起的，相反的，政治改革倒是生产技术的充分发展的必要前提。要改进技术，而对政治改革表示不关心，或认为不必要，那是不对的。

第三，冯先生对“民初人”的批评，中心是说：他们“以为人可以随所意欲，愿行什么制度即行什么社会制度”（页六六），而不知道旧的思想意识道德也是在某种社会物质基础上的产物。冯先生认为“五四”时代说“吃人的礼教”是不对的，因为礼教曾是因某种社会物质基础而产生的。这种批评在我看来，至多只有一半是有道理的。“五四运动”者不了解礼教产生的客观根据，而几乎完全归因于人的愚蠢上，这是“五四运动”者的弱点。但是他们说礼教是吃人的，就从新的观点来看，也仍是不可否认的。因为礼教在封建社会中虽曾因社会的必要而产生，但这必要是对于封建统治者而言的，封建统治者利用礼教来在肉体与精神上迫害人民大众。对于人民大众而言，礼教正是吃人的猛兽。“五四运动”代表人民大众而喊出了礼教吃人的口号，这正是他们的光荣。不过因为他们对礼教的了解还不够深切，因而他们的反礼教运动也不够深入而其效力也不充分。我们今天更清楚地了解礼教的本质，那就应该更深入地推进反礼教运动。然而冯先生不然，相反的他似乎以为找到一物存在的原因即是证明其为合理的存在，于是就不应该反对它。

固然，冯先生并未明白表示，应该维护旧思想、意识、道德的存在。他只是说，我们不必去反对它们，因为只要在“生产方法”发生改变时（就是在机器大量使用，工厂充分发展时），这一切自然会随之更变。在这里，冯先生也是拿对于社会发展的总方向的图式来代替具体的社会改造的实践。事实上，社会的意识与思想的发展不是那么完全被动地受支配于社会物质生活的发展的。常常在新的物质生活尚未充分实现之前，新的思想意识已经开始和旧的思想意识搏斗而促起旧的物质生活与旧的思想意识的崩溃；也常常在新的物质生活已经实现的时候，旧的思想意识依旧顽固地残存着，成为新的物质生活与新的思想意识向前发展的障碍。因此，在整个社会改造事业中，思想意识的斗争必然要配合着物质生活的改造而成为一个独立的阵线，放弃这一面的战斗，实际上就无异于维护旧的思想意识道德的存在。

近两年来，国内有一种存心压低“五四运动”的价值的风气，这种风气也不仅只是对历史的一种“新”评价，而且更反映着对实践的一种“新”态度——就是否认了在在今日的实践中对于旧思想意识进行改造的必要。在这方面，我们不能不说，冯先生是理论上的先驱者。他不仅否定了“五四运动”，甚至于否定了辛亥革命，这也就是根本否定了在政治与思想意识上求改进的必要。而他所找到的理论根据却不过是些空洞无意义的图式。以为单纯生产技术的改造，就自然而然地能促起全社会的改造，这主张其实是早已经在历史的实践中被否定了！

守旧与革新

但在《新事论》中究竟是主张，从一种生产方法，生产制度，社会制度，以至道德观念等变到另一种生产方法，生产制度，社会制度，以至道德观念的。这和绝对的守旧论，走马灯的历史观比起来，在基本上仍是更进步的。因此在“判性情”一章中对“民族性”与“国情”的解释有很多独到之处。他否认不变的民族性，认为“普通有些人所说的人性，是习而不是性”；他认为，性是会在社会环境变动时改变的，是可以有新性增加的。他以为“国情”也不是什么神秘的东西，“试把某一国或某一民族的历史，于某一时截住，它的历史，在此时以前者即是它的国情”。因此国情也是随时变更的。依照这种说明，就根本堵住了用民族性特异——国情不同为理由而拒绝革新的说法。

而所谓历史的变革，就是在旧情的根据上发展新性。这既不否定国情的作用（就是现实的历史条件的作用），也不否认获得新性的可能与必要。我们认为这是科学的见解。但是更进一步，《新事论》作者却遇到了旧情与新性的矛盾，而无法越过。

这话是对的：“一个社会如有一新性，其有新性，虽在一方面不根据旧情，但在又一方面，亦须根据旧情。”（页一七四）但是在新性与旧情的两方面中，我们把发展新性看成主导的呢？还是把根据旧情看做是主导的呢？这实在是不容含糊的问题。

当《新事论》著者说：“一国或一民族在某种情形下必须有某种新性，否则此国家或民族即不能存在，而此种新性，又非用革命不能得到，则革命虽痛苦，亦是不得不有底”的时候，他是把主导的方面置于发展新性的一方面；虽然就在同时，他又承认，因为新性不合旧情，故“守旧者之反对任何改革，并不是没有理由的”，这已经是在自己的立足点上作了某种让步了。我们应该承认，只有从守旧者自己的利益观点上，反对改革是有理由的，但对于革新者，旧情对他并不合适，新性对他才是合适的；所以反对改革的理由是一点也没有的。

但是一到“释继开”的一篇中，着重点就显然地从发展新性方面彻底转到依据旧情方面了。这由原文中所举的用以说明其理论的实例来看，便可知道。

上面我们已经指出过，本书对于辛亥革命是以为它除了种族革命的意义以外，并无价值。在这里我们可读到他对于这点的解释：

> 就其是中国近代化所经底步骤说，这个革命是开来；就其是明末清初以来汉人恢复运动的继续说，这个革命是继往。（页一七七）不过在建立民国这一方面，辛亥革命在旧情方面，没有充分根据。辛亥革命后来完全成为政治革命。不过这个政治是跟着种族革命来底，是种族革命带过来底。它本身的背后，并没有实力，至少是没有充分底实力。……没有实力或没有充分实力者，在政治上不能有什么功用。（页一七九）

在这里，我们看到，冯先生是以为因为在辛亥以前已有反满运动，故辛亥革命作为种族革命是继往的，有旧情的根据的，所以它也就有开来的作用，是现代化之一步骤。而辛亥以前并无建立民主国家的运动，故辛亥革命作为政治革命是无旧情根据的，亦不能对发展新性有什么作用，所以是不必要的。

但是民主政治的提出在辛亥革命的当时完全是“不合国情”的吗？在当时，封建专制帝国已腐败到证明自己无法照旧统治下去了，农民自发的太平天国运动中已经表现出了向民主政策的倾向，在国外华侨的经营和国内的最幼弱的工业建设中已有着新社会力量的萌芽，从欧洲传来的民主思想已开始动荡着智识分子的脑袋——这些难道不足以作为一个民主运动的政治革命的现实的根据么？假使在这样情况下爆发的辛亥革命还算不得有旧情的根据，那就只能主张，必须等到新的一切已在旧的机体中完全成熟了，然后才能进行改革，但假若这样打算，那就根本谈不到什么革新了。

我们当然不反对，发展新性要对旧情有相当根据。但是“根据旧情”只是要顾到现实的条件，而不是要找在旧情中已经成熟了的东西。新的事物不可能是已经成为一个完成的东西隐藏在旧的东西之中，而常常只是被压制在旧事物机体之中的一些零碎的新的要素。革旧创新正是要打碎这旧机体，使新事物的要素获得顺遂的发展，而长成为一完成的东西。假如在辛亥革命时的人抱着像冯先生的观念，那么他们为了“根据旧性”一定是在推翻满清之后另立一个姓赵姓王的人（当时有现成的姓袁的人）来做皇帝，而那样一来，辛亥革命对于中国的现代化还能有什么“开来”的作用呢？辛亥革命对于中国的现代化，具有开来的作用，并不只是因为它推翻了满清，而且因为它建立了民国，在今天还来否认这一点岂不是太奇怪了么？

《新事论》著者给现代史中的常识翻案，正足以表明他已经不自觉地采取了把根据旧情当做前进的主导面的观点了。

作为这种观点的理论基础的，依旧是他的机械的经济决定论的图式。他说：“所谓民主政治，即是政治的社会化；政治的社会化必在经济社会化底社会中才能进行。”（页一七九）这就是说，一个社会必须充分工业化了，换句话说，就是在经济上充分资本主义化了，然后来谈民主政治，才算得有旧情根据，就这国家而言，才算合乎国情。所以他又说：

> 一种新经济制度，在其完全实行以后，虽必引起人的思想以及社会制度的诸种变动，但于其初行时，则并不先需要此种变动。生产社会化的开端，始于工业。工业是一个相当进步

> 底社会中所已有底。新式的工业与旧式的手工业，所差在于规模的大小，及技术的优劣。所以所谓生产社会化的开始，不过是生产技术的改良，至于将来所要引起底各方面底变动，则是以后底事。（页一八六）

真是简单得很。于是所谓社会的革新就“不过是”把原来已有的旧式工业在规模上扩大一些，在技术上改造一些而已。至于一切政治制度，社会制度，思想意识都一概照旧好了。因为那是以后自然而然会跟着变革的。

既然这样，《新事论》著者当然可以和主张中学为体，西学为用的人拉手。他说：

> 假如所谓中学为体，西学为用者，是说组织社会的道德是中国人所本有底，现在所须添加者是西洋的知识技术工业，则此话是可说的。我们的《新事论》的意思，亦正如此。（页二二八）

这一段话是当做全书结论的写着的。读到这里，恐怕所有的读者都不能不爽然若失的罢。著者曾主张道德意识是随社会物质基础的变化的，现在却又出现了一种不变的组织社会的道德，著者曾说，在中国旧文化中其主要的是我们所当去的，而现在却是中学为体；著者预约指示我们一条中国向自由之路，而现在却使我们知道，原来就是五十年前张之洞的道路！

一九四二年十二月

三联经典文库第二辑简目

《游击战教程》　明凡 / 著

《游击战术纲要》　陶剑青 / 编著

《汪精卫卖国的理论与实践》　钱俊瑞 / 著

《抗战以来》　韬奋 / 著

《陕行纪实》　楚云 / 著

《随军散记》　沙汀 / 著

《被日寇囚系半载记》　王研石 / 著

《倭营历险记》　房沧浪 / 著

《活跃的新西北》　田影 / 编著

《保卫华北的游击战》　刘清扬　陈北鸥等 / 著

《徐州突围》　《徐州突围》编委会 / 编

《沦亡的平津》　长江　小方等 / 著

《淞沪火线上》　胡兰畦等 / 著

《瞻回东战场》　长江　罗平 / 著

《东线的撤退》　胡兰畦等 / 著

《抗战中的西北》　徐盈 / 著

《鲁闽风云》　徐盈等 / 著

《西线生活》　西北战地服务团集体创作

《中国解放区见闻》　［美］福尔曼著 / 朱进译

《全面抗战论》　潘汉年 / 著

《日本的间谍》　范士白自述 / 尊闻译

《日本大陆政策的真面目》　国难资料编辑社 / 编

《民众动员论》　李公朴 / 著

《中国外交史》　钱亦石 / 编著

《太平洋军事地理》　蒋震华 / 著

《世界经济地理讲话》　思慕 / 著

《列强军力论》　［德］马克斯 · 威纳尔著 / 宾符　仲持　梅益等译

《近代国际关系史》　张铁生 / 著

《太平洋现势手册》　沈志远　石啸冲 / 编著

《近代世界政治史》　钱亦石 / 著

《从战争到和平——一九四五年的世界政治》　乔木 / 著

《战后日本问题》　思慕 / 著

《最近一年间的国际动态（1946.7—1947.6）》　《东北日报》社 / 编

《论政党》　翟放 / 著

《法与宪法》　韩幽桐 / 编著

《中华民国宪法刍议》　罗家衡 / 著

《民主 · 宪法 · 人权——作之民》　费孝通 / 著

《宪法论初步》　潘念之 / 著

《对反民主的抗争》　韬奋 / 著

《农村改进的理论与实际》　江恒源 / 著

《上海产业与上海职工》(上下)　　朱邦兴　胡林阁　徐声 / 合编

《陶行知教育论文选辑》　　陶行知著 / 方与严编

《中国通货膨胀论》　　杨培新 / 著

《中国及其未完成的革命》　　H·普拉特著 / 蒋天佐译

《中国的建设问题与人的训练》　　卢作孚 / 著

《论中国特殊性及其他》　　艾思奇 / 著

《中国经济问题讲话》　　钱俊瑞　徐雪寒　王渔邨　姜君辰　骆耕漠 / 合著

《中国经济的道路》　　许涤新 / 著

《中国财政之病态及其批判》　　孙怀仁 / 著

《官僚资本论》　　许涤新 / 著

《五四运动之史的评价》　　陈端志 / 著

《中国通史简编》(上下)　　中国历史研究会　范文澜 / 主编

《论文学的工农兵方向——读〈在延安文艺座谈会上的讲话〉》　雪苇 / 著

《中国近代史(上编　第一分册)》　　武波 / 编著

《文学百题》　　傅东华 / 编

《中国史学之进化》　　周谷城 / 著

《论民族形式问题》　　胡风 / 著

《论批评》　　荃麟等 / 著

《中国史纲》(第一卷上下、第二卷上下)　　翦伯赞 / 著

《近代中国思想学说史》(1–4)　　侯外庐 / 著

《中国政治思想史》（上下）　吕振羽 / 著

《中国哲学史纲要》　向林冰 / 著

《中国政治史讲话》　钱亦石 / 著

《中国社会经济史纲》　王渔邨 / 著

《新财政学大纲》　千家驹 / 著

《太平天国革命运动论文集——金田起义百周年纪念》

华北大学历史研究室 / 编

《理性与自由——文化思想批评论文集》　胡绳 / 著

《战斗者的诗人》　黄药眠 / 著

《国语文法》　曹朴 / 著

《教育哲学》　张栗原 / 著

《妇女问题讲话》　杜君慧 / 著

《婚姻 · 子女 · 继承》　沙千里 / 著

《性教育新论》　布士克　雅各生合著 / 董秋斯译

《狱中杂感》　杜重远 / 著

《七人之狱》　沙千里 / 著

《爱迪生传》　伍况甫 / 译

《歌德自传》（上下）　歌德著 / 思慕译

《尼赫鲁自传》　［印度］尼赫鲁著 / 毕来译

《列宁传》　［苏］凯尔任采夫著 / 企程　朔望译

《罗斯福总统传》　C. Mackenzie 著 / 张尚之译

《托尔斯泰传》（1–3）　［英］阿尔麦 · 莫德著 / 徐迟译

《革命文豪高尔基》　［美］亚历山大·康恩著 / 韬奋编译

《鲁迅纪念特辑》　新中国文艺社 / 编

《回忆鲁迅先生》　萧红 / 著

《人民文豪鲁迅》　平心 / 著

《亡友鲁迅印象记》　许寿裳 / 著

《鲁迅思想研究》　何干之 / 著

《鲁迅研究》　夏征农 / 编

《过来的时代：鲁迅论及其他》　雪峰 / 著

《电影戏剧表演术》　洪深 / 著

《日常心理漫谈》　［美］约瑟夫·查斯特罗著 / 曾宝菡译

《心理常识漫话》　朱智贤　杨云美 / 著

《读书的方法与经验》　王任叔 / 著

《美国黑人生活纪实》　［美］加德维尔　斯坦倍克著 / 董秋斯译

《初访美国》　费孝通 / 著

《事业与成功》　［美］马尔腾著 / 汪原放译

《萍踪寄语（初集）》　韬奋 / 著

《一生的幸福前途——〈生活周刊〉信箱选集》　生活书店 / 编选

《深刻的印象》　生活周刊社 / 编

《海外的感受》　生活书店编译所 / 编